상위권수 ▮▮▮ 산 학습지

응용
연산
×÷

B4
초2~초3

(두 자리 수)×(한 자리 수)
(두 자리 수)÷(한 자리 수)

Creative to Math
씨투엠

응용연산 : 상위권으로 가는 문제해결 연산 학습지

요즘 아이들은 초등학교 입학 전에 연산 문제집 한 권 정도는 풀어본 경험이 있습니다. 어릴 때부터 연산 문제를 많이 풀었기 때문에 아이들은 아직 학교에서 배우지 않은 계산 문제를 슥슥 풀어서 부모님들을 흐뭇하게 만들기도 합니다. 그런데 아이들의 연산 능력은 날로 높아지지만 수학 실력은 과거에 비해 그다지 늘지 않은 것 같습니다. 사실 진짜 수학 실력은 연산 문제나 사고력 수학 문제를 주로 푸는 초등 저학년 때는 잘 드러나지 않습니다. 응용 문제를 본격적으로 풀기 시작하는 초등 3, 4학년이 되어서야 아이의 수학 실력을 판별할 수 있습니다.

초등 수학에서 연산이 가장 중요한 것은 부정할 수 없는 사실입니다. 중학생, 고등학생이 되어서 부족한 연산 능력을 키우는 것은 거의 불가능합니다. 이러한 연산의 특수성 때문에 아이들은 어린 나이부터 연산을 반복적으로 연습하여 실력을 키우려고 합니다. 이렇게 열심히 연산을 공부하는데도 왜 어떤 아이들은 수학 문제를 잘 풀지 못하는 것일까요? 그 이유는 현재 연산 학습의 목적이 단지 '계산을 잘 하는 것'이 되어버렸기 때문입니다. 연산은 연산 자체가 목적이 될 수 없으며 수학의 진짜 목표인 문제를 잘 풀기 위한 수단으로 연산을 학습해야 합니다.

과거 초등 수학 교과서의 연산 단원은 ① 원리와 연습 ② 문장제 활용의 단순한 구성이었습니다만 요즘의 교과서는 많이 달라졌습니다. 원리와 연습은 그대로이거나 조금 줄었지만 연산을 응용하는 방식은 좀 더 다양해졌습니다. 계산 능력의 향상만을 꾀하는 것이 아니라 여러 가지 퍼즐이나 수학적 상황 등을 해결할 수 있는 '응용력'에 초점을 맞추고 있다는 것을 보여주는 변화입니다. 따라서 저희는 연산 학습지도 원리나 연습 위주에서 벗어나 실제 문제를 해결할 수 있는 능력에 포인트를 맞추어야 한다고 생각합니다.

'연산은 잘 하는데 수학 문제는 왜 못 풀까요?'에 대한 대답이자 대안으로 저희는 「응용연산」이라는 새로운 컨셉의 연산 학습지를 만들었습니다. 연산 원리를 이해하고 연습하는 것에 그치지 않고, 익힌 것을 활용하는 방법을 바로 보여줄 수 있어야 아이들이 수학 문제에 연산을 효과적으로 적용할 수 있습니다. 연습은 꼭 필요한 만큼만 하고, 더 중요한 응용 문제에 바로 도전함으로써 연산과 문제 해결이 단절되지 않게 하는 것이 「응용연산」에서 기대하는 가장 큰 목표입니다.

「응용연산」을 통해 아이들이 왜 연산을 해야 하는지 스스로 느낄 수 있을 것이라 자신합니다. 이제 연산은 '원리'나 '연습'이 아닌 스스로 문제를 해결할 수 있는 '응용력'입니다.

응용연산의 구성과 특징

- 매일 부담없이 4쪽씩 연산 학습
- 매주 4일간 단계별 연산 학습과 응용 문제를 통한 연산 실력 확인
- 매주 1일 형성평가로 테스트 및 복습

주차별 구성

원리연산

대표 문제를 통해 학습하는 매일 새로운 단계별 연산 학습

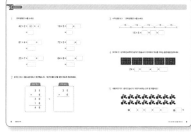

응용연산

기본 문제와 응용 문제를 통한 응용력과 문제해결력 증진

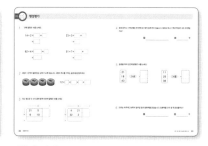

형성평가

가장 중요한 유형을 다시 한번 복습하며 주차 학습 마무리

정답 및 해설

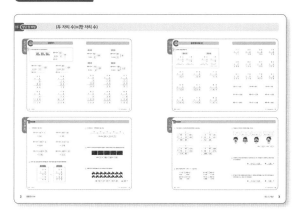

문제와 답을 한눈에 볼 수 있습니다.

이 책의 차례

1주차

(두 자리 수)×(한 자리 수)

곱셈 알고리즘 익히기

곱셈하기

개념
원리

두 자리 수와 한 자리 수의 곱셈을 알아봅시다.

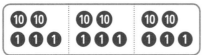

$20 \times 3 =$ 60
$3 \times 3 =$ 9

69

23×3

$50 \times 3 =$ ☐
$4 \times 3 =$ ☐

☐

54×3

$20 \times 4 =$ ☐
$5 \times 4 =$ ☐

☐

25×4

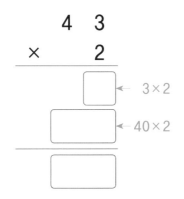

$$\begin{array}{r} 4\ 3 \\ \times\quad 2 \end{array}$$

☐ ← 3×2

☐ ← 40×2

☐

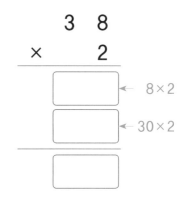

$$\begin{array}{r} 3\ 8 \\ \times\quad 2 \end{array}$$

☐ ← 8×2

☐ ← 30×2

☐

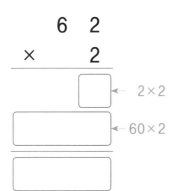

$$\begin{array}{r} 6\ 2 \\ \times\quad 2 \end{array}$$

☐ ← 2×2

☐ ← 60×2

☐

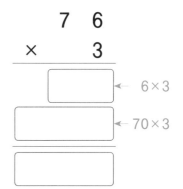

$$\begin{array}{r} 7\ 6 \\ \times\quad 3 \end{array}$$

☐ ← 6×3

☐ ← 70×3

☐

41×2

$40 \times 2 = \boxed{}$ $\Big]$ $\boxed{}$

$1 \times 2 = \boxed{}$

27×3

$20 \times 3 = \boxed{}$ $\Big]$ $\boxed{}$

$7 \times 3 = \boxed{}$

53×3

$50 \times 3 = \boxed{}$ $\Big]$ $\boxed{}$

$3 \times 3 = \boxed{}$

35×6

$30 \times 6 = \boxed{}$ $\Big]$ $\boxed{}$

$5 \times 6 = \boxed{}$

$$\begin{array}{r} 3\ 3 \\ \times\ \ \ 3 \\ \hline \boxed{} \\ \boxed{} \\ \hline \boxed{} \end{array}$$

$$\begin{array}{r} 2\ 9 \\ \times\ \ \ 2 \\ \hline \boxed{} \\ \boxed{} \\ \hline \boxed{} \end{array}$$

$$\begin{array}{r} 2\ 7 \\ \times\ \ \ 3 \\ \hline \boxed{} \\ \boxed{} \\ \hline \boxed{} \end{array}$$

$$\begin{array}{r} 6\ 2 \\ \times\ \ \ 2 \\ \hline \boxed{} \\ \boxed{} \\ \hline \boxed{} \end{array}$$

$$\begin{array}{r} 4\ 6 \\ \times\ \ \ 6 \\ \hline \boxed{} \\ \boxed{} \\ \hline \boxed{} \end{array}$$

$$\begin{array}{r} 6\ 5 \\ \times\ \ \ 3 \\ \hline \boxed{} \\ \boxed{} \\ \hline \boxed{} \end{array}$$

1 ☐ 안에 알맞은 수를 쓰세요.

$42 \times 2 =$ 80 $+$ 4

$=$ ☐

$19 \times 5 =$ ☐ $+$ ☐

$=$ ☐

$81 \times 4 =$ ☐ $+$ ☐

$=$ ☐

$72 \times 3 =$ ☐ $+$ ☐

$=$ ☐

$25 \times 7 =$ ☐ $+$ ☐

$=$ ☐

$64 \times 8 =$ ☐ $+$ ☐

$=$ ☐

2 윤아는 35×6을 48이라고 계산했습니다. 계산이 틀린 곳을 찾아 바르게 계산하세요.

틀린 계산

```
    3 5
×     6
─────────
    3 0
    1 8
─────────
    4 8
```

➡

바른 계산

```
    3 5
×     6
─────────
```

3 수직선을 보고 ☐ 안에 알맞은 수를 쓰세요.

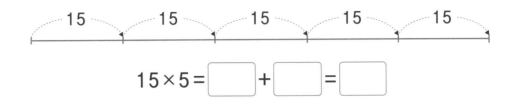

$$15 \times 5 = \boxed{} + \boxed{} = \boxed{}$$

4 토마토가 1상자에 24개씩 5상자가 있습니다. 토마토의 개수를 구하는 곱셈식을 완성하세요.

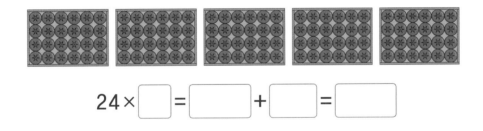

$$24 \times \boxed{} = \boxed{} + \boxed{} = \boxed{}$$

5 세발자전거가 16대 있습니다. 자전거 바퀴는 모두 몇 개일까요?

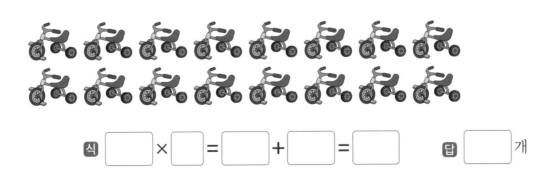

식 $\boxed{} \times \boxed{} = \boxed{} + \boxed{} = \boxed{}$ 답 $\boxed{}$ 개

곱셈 알고리즘 (1)

개념
원리

곱셈하는 방법을 알아봅시다.

23×2

```
    2 3
×     2
─────────
      6
```
3×2를 구하여
일의 자리에 6을 씁니다.

```
    2 3
×     2
─────────
    4 6
```
2×2를 구하여
십의 자리에 4를 씁니다.

32×4

```
    3 2
×     4
─────────
      8
```
2×4를 구하여
일의 자리에 8을 씁니다.

```
    3 2
×     4
─────────
  1 2 8
```
3×4를 구하여
십의 자리에 2,
백의 자리에 1을 씁니다.

```
    3 1
×     2
─────────
  □ □
```

```
    4 3
×     2
─────────
  □ □
```

```
    1 2
×     4
─────────
  □ □
```

```
    5 0
×     3
─────────
  □ □ □
```

```
    4 1
×     5
─────────
  □ □ □
```

```
    6 3
×     3
─────────
  □ □ □
```

```
    3 1
×     6
─────────
  □ □ □
```

```
    7 4
×     2
─────────
  □ □ □
```

```
    8 2
×     2
─────────
  □ □ □
```

```
    1 1          2 4          3 2          1 0
  ×   7        ×   2        ×   3        ×   5
```

```
    4 0          9 2          6 1          8 2
  ×   7        ×   2        ×   3        ×   4
```

```
    5 1          7 3          7 0          9 1
  ×   5        ×   3        ×   6        ×   8
```

22×2 10×8 13×3

61×8 93×3 42×4

82×3 73×2 50×6

1 가로, 세로로 두 수의 곱에 맞게 빈칸에 알맞은 수를 쓰세요.

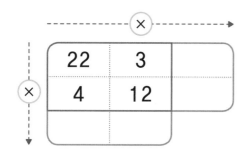

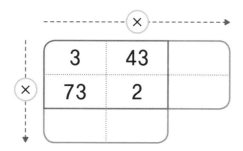

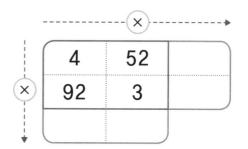

2 곱의 크기를 비교하여 ◯ 안에 >, =, <를 쓰세요.

11 × 5 ◯ 32 × 2   21 × 6 ◯ 63 × 2

42 × 2 ◯ 21 × 4   72 × 4 ◯ 93 × 3

3 다음을 보고 어머니와 아버지의 나이를 구하세요.

나는 **11**살 입니다.

지호

나는 지호보다 **2**살이 더 많아요.

민주

나의 나이는 지호 나이의 **4**배보다 **2**살이 적어.

어머니

나의 나이는 민주 나이의 **3**배보다 **4**살이 더 많아.

아버지

어머니: ☐ 살, 아버지: ☐ 살

4 도희네 학교 **3**학년은 **6**개 반입니다. 각 반의 학생 수는 모두 **21**명입니다. 도희네 학교 **3**학년 학생은 모두 몇 명일까요?

식 _____   답 _____ 명

5 연극을 보기 위해 사람들이 강당에 모였습니다. 강당에는 **4**명씩 앉을 수 있는 의자가 **32**개 있습니다. 의자에 앉을 수 있는 사람은 모두 몇 명일까요?

식 _____   답 _____ 명

곱셈 알고리즘 (2)

개념
원리

올림이 있는 곱셈을 하는 방법을 알아봅시다.

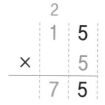
15×5

37×5

```
  2
  1 5
×   5
    5
```

```
  2
  1 5
×   5
  7 5
```

```
  3
  3 7
×   5
    5
```

```
  3
  3 7
×   5
1 8 5
```

5×5의 계산에서 십의 자리 숫자 2를 작게 적어 올림하는 수를 표시합니다.

1×5의 계산에 올림한 수 2를 더하여 십의 자리에 7을 씁니다.

7×5의 계산에서 십의 자리 숫자 3을 작게 적어 올림하는 수를 표시합니다.

3×5의 계산에 올림한 수 3을 더하여 백의 자리에 1, 십의 자리에 8을 씁니다.

```
□
  2 7
×   3
  □ □
```

```
□
  1 2
×   7
  □ □
```

```
□
  2 4
×   4
  □ □
```

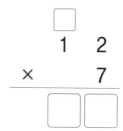

```
□
    3 5
×     4
  □ □ □
```

```
□
    5 9
×     6
  □ □ □
```

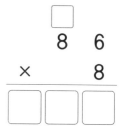

```
□
    8 6
×     8
  □ □ □
```

```
□
    6 2
×     9
  □ □ □
```

```
□
    7 8
×     5
  □ □ □
```

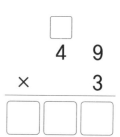

```
□
    4 9
×     3
  □ □ □
```

$$\begin{array}{r} 4\ 9 \\ \times\quad 2 \\ \hline \end{array}$$

$$\begin{array}{r} 1\ 3 \\ \times\quad 6 \\ \hline \end{array}$$

$$\begin{array}{r} 2\ 3 \\ \times\quad 4 \\ \hline \end{array}$$

$$\begin{array}{r} 1\ 6 \\ \times\quad 4 \\ \hline \end{array}$$

$$\begin{array}{r} 5\ 5 \\ \times\quad 5 \\ \hline \end{array}$$

$$\begin{array}{r} 6\ 3 \\ \times\quad 7 \\ \hline \end{array}$$

$$\begin{array}{r} 9\ 6 \\ \times\quad 2 \\ \hline \end{array}$$

$$\begin{array}{r} 6\ 7 \\ \times\quad 4 \\ \hline \end{array}$$

$$\begin{array}{r} 4\ 3 \\ \times\quad 6 \\ \hline \end{array}$$

$$\begin{array}{r} 7\ 4 \\ \times\quad 8 \\ \hline \end{array}$$

$$\begin{array}{r} 6\ 5 \\ \times\quad 9 \\ \hline \end{array}$$

$$\begin{array}{r} 8\ 5 \\ \times\quad 3 \\ \hline \end{array}$$

19×4

39×2

17×5

37×6

88×4

34×7

67×8

59×3

73×9

1 곱셈을 하여 빈칸에 알맞은 수를 쓰세요.

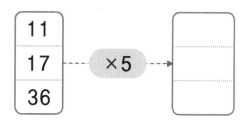

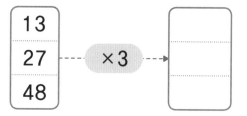

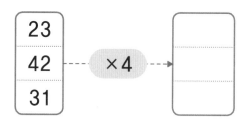

| 12 |
| 64 | ×7 |
| 42 |

2 숫자 퍼즐의 빈칸에 알맞은 수를 쓰세요.

가로

㉠ 18×3
㉡ 12×4
㉢ 8×52

㉠5	㉣4		㉆
	㉡	㉤		㉅
		㉢	

세로

㉣ 62×7
㉤ 6×14
㉅ 22×3
㉆ 14×5

3 99와 1, 2, 3의 곱을 구하고 규칙을 찾아 나머지 곱도 구하세요.

$99 \times 1 = 100 - 1 = \boxed{}$

$99 \times 2 = (100-1)+(100-1)=200-2=\boxed{}$

$99 \times 3 = (100-1)+(100-1)+(100-1)=300-3=\boxed{}$

$99 \times 4 = \boxed{}$ $99 \times 5 = \boxed{}$ $99 \times 6 = \boxed{}$

$99 \times 7 = \boxed{}$ $99 \times 8 = \boxed{}$ $99 \times 9 = \boxed{}$

4 동현이는 가게에서 쿠키를 사려고 합니다. 동현이가 사고 싶은 쿠키는 한 봉지에 17개씩 들어있습니다. 4봉지에 들어있는 쿠키는 모두 몇 개일까요?

식 _____   답 _____ 개

5 철호는 동화책을 하루에 28쪽씩 일주일 동안 읽었습니다. 철호가 읽은 동화책은 모두 몇 쪽일까요?

식 _____   답 _____ 쪽

벌레 먹은 곱셈

 개념 원리

주어진 수를 한 번씩 모두 사용하여 곱셈식을 완성하여 봅시다.

```
    3 □            3 8            3 8
  ×   3          ×   3          ×   3
 ─────         ─────         ─────
  □ 1 □          □ 1 4          1 1 4
```

➡

일의 자리 계산에 맞는
두 수를 찾습니다.

나머지 수를 빈칸에 넣어
곱셈이 맞는지 확인합니다.

```
  □ 6            3 7            1 □
×   4          ×   □          ×   5
─────         ─────         ─────
  □ □            □ □            □ □
```

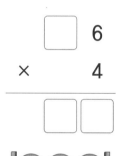 1 4 6

2 7 4

5 6 3

```
  □ 9            3 □            □ □
×   □          ×   5          ×   8
─────         ─────         ─────
4 7 □          □ 7 □          2 □ 0
```

7 6 4

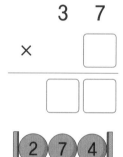 4 1 0

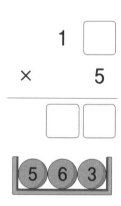 2 0 5

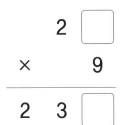

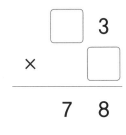

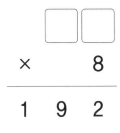

```
    2 □              1 □              □ 3
×     9          ×     7          ×     □
-------          -------          -------
  2 3 □            □ 1              7 8


    4 □              □ 7              □ □
×     □          ×     □          ×     8
-------          -------          -------
  2 1 0          2 6 8            1 9 2


    □ 7              1 □              □ 7
×     7          ×     □          ×     5
-------          -------          -------
  2 □ 9          1 1 9            1 8 □


    2 □              6 □              □ □
×     6          ×     7          ×     9
-------          -------          -------
  □ □ 0          □ 3 □            □ 8 7
```

1 상자 안의 수를 한 번씩 모두 사용하여 곱셈식을 완성하세요.

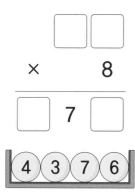

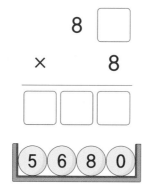

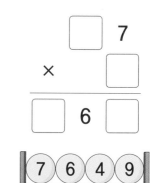

2 ☐ 안에 알맞은 수를 넣어 두 가지 방법으로 식을 완성하세요.

		2	0			2	1
	×		6		×		6
1	2	0		1	2	6	

		2				2	
	×		6		×		6
1	3			1	3		

		2				2	
	×		6		×		6
1	5			1	5		

		2				2	
	×		6		×		6
1	6			1	6		

3 다음과 같이 올바른 곱셈식이 되도록 카드 1장을 /로 지우고 식을 쓰세요.

| 5 | 7 | × | 6̸ | 3 | = | 1 | 7 | 1 | ➡ | $57 \times 3 = 171$ |

| 2 | 3 | × | 4 | 8 | = | 9 | 2 | ➡ | |

| 6 | 8 | × | 4 | 5 | = | 2 | 7 | 0 | ➡ | |

| 2 | 7 | × | 6 | 9 | = | 1 | 6 | 2 | ➡ | |

4 ☐ 안에 알맞은 수를 넣어 세 가지 방법으로 식을 완성하세요.

$$\begin{array}{r} \square\,\square \\ \times \quad \square \\ \hline 7\,\square\,6 \end{array} \qquad \begin{array}{r} \square\,\square \\ \times \quad \square \\ \hline 7\,\square\,6 \end{array} \qquad \begin{array}{r} \square\,\square \\ \times \quad \square \\ \hline 7\,\square\,6 \end{array}$$

1 ☐ 안에 알맞은 수를 쓰세요.

$14 \times 2 = $ ☐ $+$ ☐

$= $ ☐

$23 \times 3 = $ ☐ $+$ ☐

$= $ ☐

$62 \times 4 = $ ☐ $+$ ☐

$= $ ☐

$51 \times 7 = $ ☐ $+$ ☐

$= $ ☐

2 사탕이 12개씩 들어있는 상자가 4개 있습니다. 사탕의 개수를 구하는 곱셈식을 완성하세요.

$12 \times$ ☐ $= $ ☐ $+$ ☐ $= $ ☐

3 가로, 세로로 두 수의 곱에 맞게 빈칸에 알맞은 수를 쓰세요.

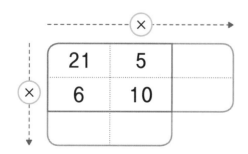

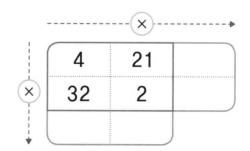

4 창희네 학교 1학년에는 한 반에 31명씩 9개 반이 있습니다. 창희네 학교 1학년 학생은 모두 몇 명일까요?

식 [   ]   답 [   ] 명

5 곱셈을 하여 빈칸에 알맞은 수를 쓰세요.

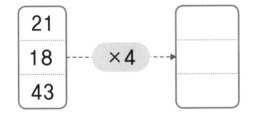

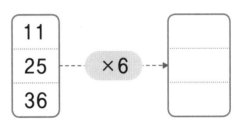

6 민호는 하루에 24쪽씩 일주일 동안 동화책을 읽었습니다. 동화책을 모두 몇 쪽 읽었을까요?

식 [   ]   답 [   ] 쪽

7 ☐ 안에 알맞은 수를 넣어 두 가지 방법으로 식을 완성하세요.

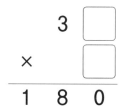   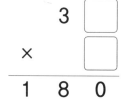

8 올바른 곱셈식이 되도록 카드 1장을 / 로 지우고 식을 쓰세요.

7 8 × 3 4 = 2 3 8 _____

6 9 × 5 8 = 5 2 2 _____

9 흥민이는 상자 6개를 가지고 있습니다. 한 상자에 딸기를 36개씩 담으면 상자에 넣은 딸기는 모두 몇 개일까요?

식 _____   답 _____ 개

2주차

(두 자리 수)×(한 자리 수)

활용

곱셈으로 여러 가지 문제 해결하기

곱이 같은 두 수

개념
원리

곱이 같은 곱셈식을 알아봅시다.

$1 \times \boxed{48} = 48$ $2 \times \boxed{24} = 48$ $3 \times \boxed{16} = 48$

$4 \times \boxed{12} = 48$ $6 \times \boxed{8} = 48$ $8 \times \boxed{6} = 48$

$12 \times \boxed{4} = 48$ $16 \times \boxed{3} = 48$ $24 \times \boxed{2} = 48$

$48 \times \boxed{1} = 48$

두 수의 곱이 48이 되는 곱셈식은 10가지가 있습니다.

$1 \times \boxed{} = 26$ $1 \times \boxed{} = 52$ $1 \times \boxed{} = 64$

$2 \times \boxed{} = 26$ $2 \times \boxed{} = 52$ $2 \times \boxed{} = 64$

$13 \times \boxed{} = 26$ $4 \times \boxed{} = 52$ $4 \times \boxed{} = 64$

$26 \times \boxed{} = 26$ $13 \times \boxed{} = 52$ $8 \times \boxed{} = 64$

$26 \times \boxed{} = 52$ $16 \times \boxed{} = 64$

$52 \times \boxed{} = 52$ $32 \times \boxed{} = 64$

$64 \times \boxed{} = 64$

$\square \times \square = 36$

$\square \times \square = 36$

$\square \times \square = 36$

$\square \times \square = 36$

$\square \times \square = 36$

$\square \times \square = 36$

$\square \times \square = 36$

$\square \times \square = 36$

$\square \times \square = 36$

$\square \times \square = 60$

$\square \times \square = 60$

$\square \times \square = 60$

$\square \times \square = 60$

$\square \times \square = 60$

$\square \times \square = 60$

$\square \times \square = 60$

$\square \times \square = 60$

$\square \times \square = 60$

$\square \times \square = 60$

$\square \times \square = 60$

$\square \times \square = 84$

$\square \times \square = 84$

$\square \times \square = 84$

$\square \times \square = 84$

$\square \times \square = 84$

$\square \times \square = 84$

$\square \times \square = 84$

$\square \times \square = 84$

$\square \times \square = 84$

$\square \times \square = 84$

$\square \times \square = 84$

1   ✿안의 수가 곱이 되는 이웃한 두 수를 모두 찾아 ◯ 또는 ◖◗로 묶으세요.

3	8	4
12	2	18
7	15	3

5	22	4
11	2	18
8	16	6

17	4	20
5	34	4
22	2	39

2	11	3
10	5	14
6	21	2

2   각 주머니의 수를 하나씩 사용하여 곱셈식을 완성하세요.

12 41 28 21   6 4 3 2

◯ × ◯ = 84

◯ × ◯ = 84

32 16 68 34   6 8 4 2

◯ × ◯ = 128

◯ × ◯ = 128

3 민호의 카드에 있는 두 수의 곱과 정우의 카드에 있는 두 수의 곱이 같습니다. 정우가 가지고 있는 뒤집힌 카드의 수를 구하세요.

| 15 | 6 | 　 | 30 | ? | 　 | ? | = |

민호　　　　　　　　정우

4 계산 결과가 다른 하나를 찾아 ✕표 하세요.

12×6	36×2	18×4
24×3	17×4	9×8

5 수일이는 하루에 18쪽씩 4일 동안 동화책을 읽었습니다. 정호가 같은 동화책을 3일 동안 읽으려고 합니다. 정호는 동화책을 하루에 몇 쪽씩 읽어야 할까요?

쪽

숫자 카드 곱셈식

 숫자 카드를 한 번씩 모두 사용하여 두 자리 수와 한 자리 수의 곱셈식을 만들 때, 가장 큰 곱과 가장 작은 곱을 만들어 봅시다.

가장 큰 곱

가장 큰 곱을 만들 때에는
한 자리 수에 가장 큰 수를 씁니다.

가장 작은 곱

```
  3 6
×   2
─────
  7 2
```

가장 작은 곱을 만들 때에는
한 자리 수에 가장 작은 수를 씁니다.

가장 큰 곱 **가장 작은 곱**

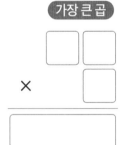

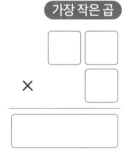

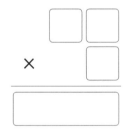

| 3 | 5 | × | 7 | = | 245 |

☐☐ × ☐ = ☐

☐☐ × ☐ = ☐

☐☐ × ☐ = ☐

☐☐ × ☐ = ☐

☐☐ × ☐ = ☐

숫자 카드 **3**장을 사용하여
(두 자리 수) × (한 자리 수)의
곱셈식 **6**개를 만들고 계산하세요.

2 4 5

☐☐ × ☐ = ☐

☐☐ × ☐ = ☐

☐☐ × ☐ = ☐

☐☐ × ☐ = ☐

☐☐ × ☐ = ☐

☐☐ × ☐ = ☐

9 1 2

☐☐ × ☐ = ☐

☐☐ × ☐ = ☐

☐☐ × ☐ = ☐

☐☐ × ☐ = ☐

☐☐ × ☐ = ☐

☐☐ × ☐ = ☐

1 다음과 같이 곱셈식에 맞게 숫자 카드의 수를 한 번씩 쓰세요.

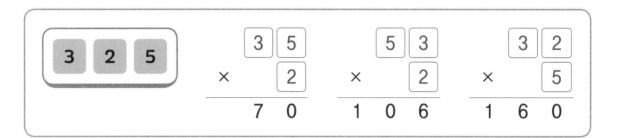

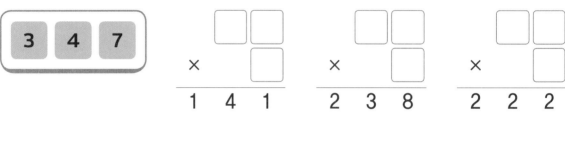

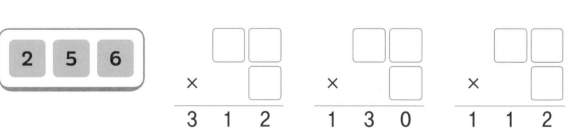

2 색칠된 버튼을 눌러서 계산 결과에 맞게 (두 자리 수) × (한 자리 수)의 곱셈식을 만드세요.

3 ● 안의 수가 곱이 되는 두 수를 모두 찾아 색칠하세요.

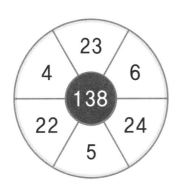 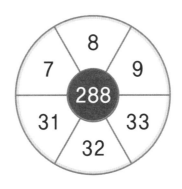 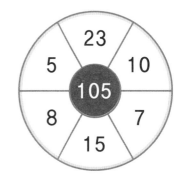

4 ☐ 안에 들어갈 수 있는 수 중에서 가장 큰 수를 쓰세요.

$43 \times 3 > 23 \times \boxed{}$ $27 \times \boxed{} < 49 \times 4$

5 숫자 카드 중 3장을 사용하여 곱이 가장 큰 식과 가장 작은 식을 만들고 계산하세요.

| 가장 큰 곱 | 가장 작은 곱 |

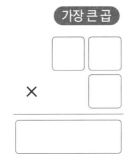

덧셈을 곱셈으로 풀기

개념
원리

1, 2, 3과 같이 차례로 나열되어 있는 수를 연속수라고 합니다. 연속수의 합을 구해 봅시다.

$$\overset{+3}{11} + \overset{+2}{12} + \overset{+1}{13} + \underset{중앙수}{14} + \overset{-1}{15} + \overset{-2}{16} + \overset{-3}{17} = 14 \times \boxed{7} = \boxed{98}$$

연속수의 개수가 홀수 개일 때는 같은 수를 더하고 빼서 중앙수와 같게 만들어 구합니다.

$$21+22+23+24+25+26+27+28 = 49 \times \boxed{4} = \boxed{196}$$

49
49
49
49

연속수의 개수가 짝수 개일 때는 합이 같은 두 수씩 짝을 지어 구합니다.

$13+14+15+16+17 = 15 \times \boxed{} = \boxed{}$

$23+24+25+26+27+28 = 51 \times \boxed{} = \boxed{}$

$30+31+32+33+34+35+36 = 33 \times \boxed{} = \boxed{}$

$14+15+16+17+18+19+20+21 = 35 \times \boxed{} = \boxed{}$

$35+36+37+38+39+40 = 75 \times \boxed{} = \boxed{}$

덧셈식을 완성하고
곱셈을 이용하여 계산하세요.

14보다 크고 20보다 작은 수의 합

15 + 16 + 17 + 18 + 19

= ☐ × ☐ = ☐

16보다 크고 21보다 작은 수의 합

☐ + ☐ + ☐ + ☐ = ☐ × ☐ = ☐

24보다 크고 31보다 작은 수의 합

☐ + ☐ + ☐ + ☐ + ☐ + ☐ = ☐ × ☐ = ☐

31보다 크고 39보다 작은 수의 합

☐ + ☐ + ☐ + ☐ + ☐ + ☐ + ☐

= ☐ × ☐ = ☐

42보다 크고 51보다 작은 수의 합

☐ + ☐ + ☐ + ☐ + ☐ + ☐ + ☐ + ☐

= ☐ × ☐ = ☐

1 달력에 색칠된 날짜의 합을 구하세요.

일	월	화	수	목	금	토
1	2	3	4	5	6	7
8	9	10	11	12	13	14
15	16	17	18	19	20	21
22	23	24	25	26	27	28
29	30	31				

일	월	화	수	목	금	토
			1	2	3	4
5	6	7	8	9	10	11
12	13	14	15	16	17	18
19	20	21	22	23	24	25
26	27	28	29	30		

일	월	화	수	목	금	토
					1	2
3	4	5	6	7	8	9
10	11	12	13	14	15	16
17	18	19	20	21	22	23
24	25	26	27	28	29	30

일	월	화	수	목	금	토
				1	2	3
4	5	6	7	8	9	10
11	12	13	14	15	16	17
18	19	20	21	22	23	24
25	26	27	28	29	30	

2 일정한 규칙으로 나열된 다음 수들의 합을 구하세요.

$1+3+5+\cdots+15+17+19=$ ☐

$2+4+6+\cdots+16+18+20=$ ☐

3 계산 규칙을 찾아 ☐ 안에 알맞은 수를 쓰세요.

$$15 ◉ 3 = 15 + 16 + 17 = 48$$
$$25 ◉ 4 = 25 + 26 + 27 + 28 = 106$$
$$12 ◉ 5 = 12 + 13 + 14 + 15 + 16 = 70$$

$10 ◉ 6 = $ ☐ $19 ◉ 7 = $ ☐

4 일정한 규칙에 따라 9개의 수가 다음과 같이 나열되어 있습니다. 이 수들의 합을 구하세요.

11   15   19   23   ……   ☐

5 정현이는 오늘 동화책을 18쪽부터 읽기 시작하여 모두 12쪽을 읽었습니다. 정현이가 오늘 읽은 쪽수의 합을 구하세요.

_____ 쪽

세 수의 곱셈

세 수의 곱셈을 알아봅시다.

$$16 \times 2 \times 3 = \boxed{32} \times 3 = \boxed{96}$$

$$16 \times 2 \times 3 = \boxed{48} \times 2 = \boxed{96}$$

$$16 \times 2 \times 3 = 16 \times \boxed{6} = \boxed{96}$$

세 수의 곱을 구할 때에는 순서에 상관없이
두 수의 곱을 구한 다음 나머지 수를 곱합니다.

$$3 \times 9 \times 2 = \boxed{} \times 2$$
$$= \boxed{}$$

$$4 \times 6 \times 3 = \boxed{} \times 3$$
$$= \boxed{}$$

$$12 \times 2 \times 4 = \boxed{} \times 2$$
$$= \boxed{}$$

$$4 \times 3 \times 5 = \boxed{} \times 3$$
$$= \boxed{}$$

$$3 \times 15 \times 4 = 3 \times \boxed{}$$
$$= \boxed{}$$

$$3 \times 4 \times 4 = 3 \times \boxed{}$$
$$= \boxed{}$$

$$12 \times 8 \times 1 = \boxed{} \times 1$$
$$= \boxed{}$$

$$4 \times 17 \times 0 = 4 \times \boxed{}$$
$$= \boxed{}$$

$5 \times 2 \times 9$ $14 \times 6 \times 3$ $8 \times 7 \times 4$

$4 \times 5 \times 3$ $9 \times 1 \times 7$ $2 \times 24 \times 3$

$8 \times 7 \times 3$ $6 \times 9 \times 3$ $31 \times 3 \times 1$

$16 \times 1 \times 5$ $0 \times 4 \times 27$ $7 \times 6 \times 9$

$7 \times 3 \times 4$ $8 \times 2 \times 8$ $11 \times 5 \times 4$

$4 \times 27 \times 2$ $6 \times 4 \times 5$ $3 \times 8 \times 15$

$6 \times 8 \times 5$ $3 \times 9 \times 7$ $4 \times 7 \times 7$

$23 \times 3 \times 2$ $15 \times 0 \times 7$ $2 \times 4 \times 29$

1 계산 결과에 맞게 길을 그리세요.

13   ×2 ×4 ×3 ×5 = 156

17   ×2 ×9 ×4 ×6 = 204

27   ×2 ×5 ×3 ×6 = 324

25   ×2 ×7 ×3 ×8 = 525

2 사다리를 타고 내려가는 길의 계산에 맞게 빈칸에 알맞은 수를 쓰세요.

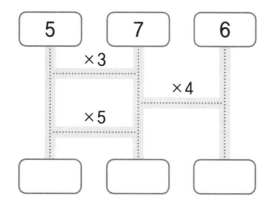

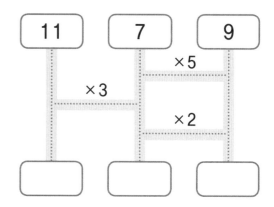

3 다음은 세 수의 곱을 세로셈으로 계산한 것입니다. ㉠, ㉡, ㉢이 나타내는 숫자를 구하세요.

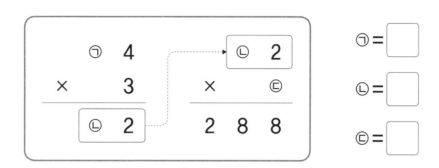

㉠ = ☐

㉡ = ☐

㉢ = ☐

4 송이네 학교 3학년에는 한 반에 24명씩 4개 반이 있습니다. 3학년 학생이 모두 자신의 화분에 씨앗을 2개씩 심어 키우기로 하였습니다. 필요한 씨앗은 모두 몇 개일까요?

식 _____   답 _____ 개

5 지호는 색종이를 15장 가지고 있고, 도준이는 지호가 가진 색종이 수의 3배만큼 색종이를 가지고 있습니다. 민주는 도준이가 가진 색종이 수의 4배만큼 색종이를 가지고 있습니다. 민주가 가지고 있는 색종이는 몇 장일까요?

식 _____   답 _____ 장

1 ❋ 안의 수가 곱이 되는 이웃한 두 수를 모두 찾아 ⬭ 또는 ◖◗로 묶으세요.

3	16	4
8	2	12
24	15	6

6	17	2
12	5	16
4	18	3

2 계산 결과가 다른 하나를 찾아 ✕표 하세요.

8×6	24×2	7×7
12×4	3×16	1×48

3 곱셈식에 맞게 숫자 카드의 수를 한 번씩 쓰세요.

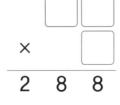

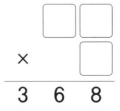

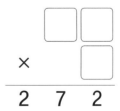

4 ● 안의 수가 곱이 되는 두 수를 모두 찾아 색칠하세요.

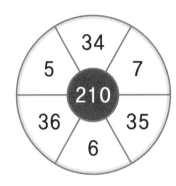

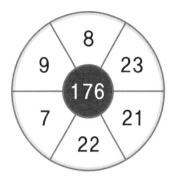

5 달력에 색칠된 날짜의 합을 구하세요.

일	월	화	수	목	금	토
1	2	3	4	5	6	7
8	9	10	11	12	13	14
15	16	17	18	19	20	21
22	23	24	25	26	27	28
29	30	31				

6 계산 규칙을 찾아 ☐ 안에 알맞은 수를 쓰세요.

$3 \blacksquare 18 = 18 + 17 + 16 = 51$

$4 \blacksquare 23 = 23 + 22 + 21 + 20 = 86$

$5 \blacksquare 19 = 19 + 18 + 17 + 16 + 15 = 85$

$6 \blacksquare 21 = $ ☐

$7 \blacksquare 28 = $ ☐

7 계산 결과에 맞게 길을 그리세요.

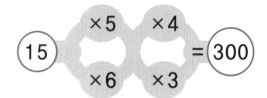

8 다음은 세 수의 곱을 세로셈으로 계산한 것입니다. ㉠, ㉡, ㉢이 나타내는 숫자를 구하세요.

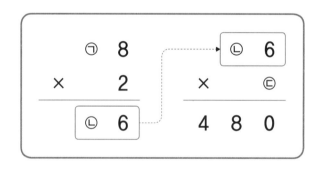

㉠ = □

㉡ = □

㉢ = □

9 장미네 학교 2학년에는 한 반에 13명씩 6개 반이 있습니다. 2학년 학생들에게 모두 연필을 3자루씩 나누어 주기로 하였습니다. 필요한 연필은 모두 몇 자루일까요?

식 _____   **답** _____ 자루

3주차

(두 자리 수)÷(한 자리 수)

나눗셈의 몫과 나머지 알아보기

나눗셈

개념원리

나눗셈을 알아봅시다.

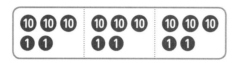

$$9 \div 3$$

$$96 \div 3 = \boxed{3}\ \boxed{2}$$

$$6 \div 3$$

십의 자리 숫자 9를 3으로 나눈 몫 3을 십의 자리, 일의 자리 숫자 6을 3으로 나눈 몫 2를 일의 자리에 씁니다.

$8 \div 2$

$$84 \div 2 = \boxed{}\ \boxed{}$$

$4 \div 2$

$3 \div 3$

$$36 \div 3 = \boxed{}\ \boxed{}$$

$6 \div 3$

$$76 \div 1 = \boxed{}\ \boxed{}$$

$$44 \div 2 = \boxed{}\ \boxed{}$$

$$69 \div 3 = \boxed{}\ \boxed{}$$

$$77 \div 7 = \boxed{}\ \boxed{}$$

$$48 \div 4 = \boxed{}\ \boxed{}$$

$$26 \div 2 = \boxed{}\ \boxed{}$$

$$99 \div 3 = \boxed{}\ \boxed{}$$

$$86 \div 2 = \boxed{}\ \boxed{}$$

68÷2   24÷2   88÷4

78÷1   66÷3   55÷5

82÷2   36÷3   66÷2

84÷4   53÷1   48÷4

99÷9   62÷2   28÷2

26÷2   39÷3   42÷2

41÷1   66÷6   96÷3

88÷2   93÷3   51÷1

1 곱셈식의 □ 안에 알맞은 수를 쓰고, 나눗셈을 하세요.

$$\boxed{} \times 2 = 42 \;\Rightarrow\; 42 \div 2 = \boxed{}$$

$$\boxed{} \times 2 = 66 \;\Rightarrow\; 66 \div 2 = \boxed{}$$

$$\boxed{} \times 2 = 84 \;\Rightarrow\; 84 \div 2 = \boxed{}$$

2 관계있는 것끼리 선으로 이으세요.

$60 \div 6$	$39 \div 3$	$48 \div 4$

$55 \div 5$	$84 \div 4$	$26 \div 2$

12	10	13

21	13	11

$64 \div 2$	$63 \div 3$	$69 \div 3$

$24 \div 2$	$77 \div 7$	$88 \div 4$

$42 \div 2$	$46 \div 2$	$96 \div 3$

$22 \div 2$	$66 \div 3$	$36 \div 3$

3 몫의 크기를 비교하여 ◯ 안에 >, =, <를 알맞게 쓰세요.

$5 \div 5$ ◯ $8 \div 8$ $44 \div 2$ ◯ $77 \div 7$

$48 \div 4$ ◯ $48 \div 2$ $69 \div 3$ ◯ $36 \div 3$

4 ☐ 안에 알맞은 수를 구하세요.

$$69 \div \square = 46 \div 2$$

5 사과 39개를 한 명에게 3개씩 나누어 준다면 모두 몇 명에게 나누어 줄 수 있을까요?

식 ☐ ÷ ☐ = ☐   답 ☐ 명

6 연필이 28자루 있습니다. 4명이 연필을 똑같이 나누어 가지려고 합니다. 한 명이 몇 자루씩 가져야 할까요?

식 ☐ ÷ ☐ = ☐   답 ☐ 자루

나머지가 없는 나눗셈

개념
원리

세로로 나눗셈을 하는 방법을 알아봅시다.

$63 \div 3 =$ 21 $64 \div 4 =$ 16

```
    2  1                    1  6
3 ) 6  3                4 ) 6  4
    6      ← 3×2            4      ← 4×1
    3      ← 63-60         2  4   ← 64-40
    3      ← 3×1           2  4   ← 4×6
    0  ← 3-3               0  ← 24-24
```

$48 \div 2 =$ ☐ $78 \div 6 =$ ☐ $75 \div 5 =$ ☐

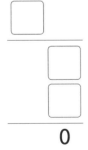
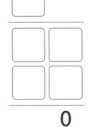

$96 \div 3 = \boxed{}$

```
      3 2
   ┌─────
 3 │ 9 6
     9
   ─────
       6
       6
   ─────
       0
```

$88 \div 4 = \boxed{}$

```
   ┌─────
 4 │ 8 8
```

$68 \div 2 = \boxed{}$

```
   ┌─────
 2 │ 6 8
```

$75 \div 3 = \boxed{}$

```
   ┌─────
 3 │ 7 5
```

$58 \div 2 = \boxed{}$

```
   ┌─────
 2 │ 5 8
```

$72 \div 4 = \boxed{}$

```
   ┌─────
 4 │ 7 2
```

$84 \div 7 = \boxed{}$

```
   ┌─────
 7 │ 8 4
```

$96 \div 8 = \boxed{}$

```
   ┌─────
 8 │ 9 6
```

$78 \div 6 = \boxed{}$

```
   ┌─────
 6 │ 7 8
```

1 곱셈식의 ☐ 안에 알맞은 수를 쓰고, 나눗셈을 하세요.

☐ ×3=36 ➡ 36÷3=☐

☐ ×5=70 ➡ 70÷5=☐

☐ ×4=92 ➡ 92÷4=☐

2 빈칸에 알맞은 수를 쓰세요.

÷	2	3	4
36			
48			

÷	3	4	6
60			
84			

÷	2	4	8
72			
88			

÷	2	3	4
24			
96			

3 ● 안의 수가 몫이 되는 두 수에 모두 색칠하고 나눗셈식을 완성하세요.

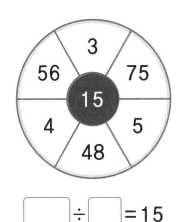

$\boxed{} \div \boxed{} = 15$

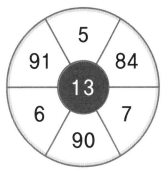

$\boxed{} \div \boxed{} = 13$

4 철호는 동화책 1권을 하루에 18쪽씩 4일 동안 읽었습니다. 물음에 답하세요.

동화책은 모두 몇 쪽일까요?

식 $\boxed{} \times \boxed{} = \boxed{}$ 답 $\boxed{}$ 쪽

이 동화책을 하루에 6쪽씩 읽으면 모두 읽는데 며칠이 걸릴까요?

식 $\boxed{} \div \boxed{} = \boxed{}$ 답 $\boxed{}$ 일

이 동화책을 3일 동안 매일 똑같은 쪽수를 읽는다면 하루에 몇 쪽씩 읽어야 할까요?

식 $\boxed{} \div \boxed{} = \boxed{}$ 답 $\boxed{}$ 쪽

나머지가 있는 나눗셈 (1)

개념
원리

몫과 나머지를 알아봅시다.

$13 \div 5 = \boxed{2} \cdots \boxed{3}$

몫   나머지

$$\begin{array}{r} \boxed{2} \leftarrow 몫 \\ 5{\overline{\smash{\big)}\,13}} \\ \boxed{1}\ \boxed{0} \\ \hline \boxed{3} \leftarrow 나머지 \end{array}$$

13을 5로 나누면 몫은 2이고 3이 남습니다.
이때 3을 13÷5의 나머지라고 합니다.

$10 \div 5 = \boxed{2}$

몫

$$\begin{array}{r} \boxed{2} \leftarrow 몫 \\ 5{\overline{\smash{\big)}\,10}} \\ \boxed{1}\ \boxed{0} \\ \hline \boxed{0} \leftarrow 나머지 \end{array}$$

10을 5로 나누면 몫은 2이고 나머지는 0입니다.
나머지가 0일 때 나누어떨어진다고 합니다.

$48 \div 6 = \boxed{}$

$$\begin{array}{r} \boxed{} \\ 6{\overline{\smash{\big)}\,48}} \\ \boxed{}\ \boxed{} \\ \hline \boxed{} \end{array}$$

$37 \div 8 = \boxed{} \cdots \boxed{}$

$$\begin{array}{r} \boxed{} \\ 8{\overline{\smash{\big)}\,37}} \\ \boxed{}\ \boxed{} \\ \hline \boxed{} \end{array}$$

$63 \div 7 = \boxed{}$

$$\begin{array}{r} \boxed{} \\ 7{\overline{\smash{\big)}\,63}} \\ \boxed{}\ \boxed{} \\ \hline \boxed{} \end{array}$$

$79 \div 9 = \boxed{} \cdots \boxed{}$

$$\begin{array}{r} \boxed{} \\ 9{\overline{\smash{\big)}\,79}} \\ \boxed{}\ \boxed{} \\ \hline \boxed{} \end{array}$$

$40 \div 5 = \boxed{}$

$$\begin{array}{r} 8 \\ 5{\overline{\smash{\big)}\,40}} \\ \underline{40} \\ 0 \end{array}$$

$56 \div 7 = \boxed{}$

$$7{\overline{\smash{\big)}\,56}}$$

$48 \div 6 = \boxed{}$

$$6{\overline{\smash{\big)}\,48}}$$

$35 \div 9 = \boxed{} \cdots \boxed{}$

$$9{\overline{\smash{\big)}\,35}}$$

$26 \div 3 = \boxed{} \cdots \boxed{}$

$$3{\overline{\smash{\big)}\,26}}$$

$29 \div 4 = \boxed{} \cdots \boxed{}$

$$4{\overline{\smash{\big)}\,29}}$$

$45 \div 6 = \boxed{} \cdots \boxed{}$

$$6{\overline{\smash{\big)}\,45}}$$

$19 \div 2 = \boxed{} \cdots \boxed{}$

$$2{\overline{\smash{\big)}\,19}}$$

$43 \div 5 = \boxed{} \cdots \boxed{}$

$$5{\overline{\smash{\big)}\,43}}$$

1 몫과 나머지를 찾아 선으로 이으세요.

나눗셈	몫	나머지
$27 \div 5$	4	4
$36 \div 8$	3	2
$28 \div 9$	5	1

나눗셈	몫	나머지
$78 \div 8$	8	6
$61 \div 7$	9	5
$67 \div 9$	7	4

2 ● 안의 수를 ○ 안의 수로 나누어 큰 원의 빈 곳에 몫, ☐ 안에 나머지를 쓰세요.

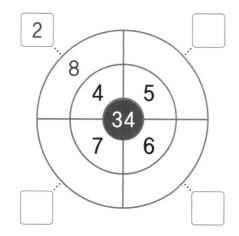

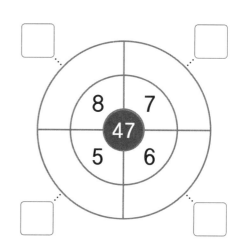

3 다음 나눗셈이 나누어떨어진다고 할 때 ☐ 안에 들어갈 수 있는 수에 모두 ◯표 하세요.

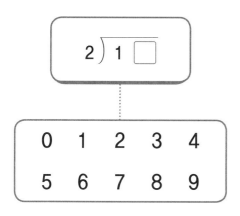

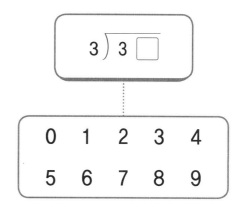

4 1부터 9까지의 수 중 36을 나누어떨어지게 하는 수를 모두 쓰세요.

_____

5 축구공 11개를 한 모둠에 2개씩 나누어 주려고 합니다. 몇 모둠에게 나누어 줄 수 있고, 축구공 몇 개가 남을까요?

식 _____ **답** _____ 모둠, _____ 개

6 45일은 몇 주이며 며칠이 남을까요?

식 _____ **답** _____ 주, _____ 일

나머지가 있는 나눗셈 (2)

개념
원리

나머지가 있는 나눗셈을 하는 방법을 알아봅시다.

$$65 \div 3 = \boxed{21} \cdots \boxed{2} \qquad 77 \div 4 = \boxed{19} \cdots \boxed{1}$$

```
    2  1                      1  9
 3 ) 6  5                  4 ) 7  7
    6        ← 3×2            4        ← 4×1
   ───────                   ───────
       5     ← 65-60         3  7     ← 77-40
       3     ← 3×1           3  6     ← 4×9
    ───────                  ───────
       2     ← 5-3              1     ← 37-36
```

$$67 \div 2 = \boxed{} \cdots \boxed{} \qquad 58 \div 3 = \boxed{} \cdots \boxed{} \qquad 63 \div 5 = \boxed{} \cdots \boxed{}$$

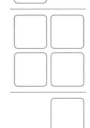
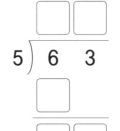

$68 \div 3 =$ ☐ ··· ☐ $87 \div 4 =$ ☐ ··· ☐ $95 \div 9 =$ ☐ ··· ☐

```
       2   2
   3 ) 6   8
       6
   ─────────
           8
           6
       ─────────
           2
```

```
   4 ) 8   7
```

```
   9 ) 9   5
```

$59 \div 4 =$ ☐ ··· ☐ $82 \div 7 =$ ☐ ··· ☐ $93 \div 6 =$ ☐ ··· ☐

```
   4 ) 5   9
```

```
   7 ) 8   2
```

```
   6 ) 9   3
```

$95 \div 8 =$ ☐ ··· ☐ $73 \div 5 =$ ☐ ··· ☐ $97 \div 2 =$ ☐ ··· ☐

```
   8 ) 9   5
```

```
   5 ) 7   3
```

```
   2 ) 9   7
```

1 몫과 나머지를 구하여 빈칸에 쓰세요.

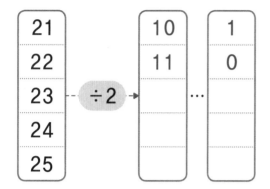

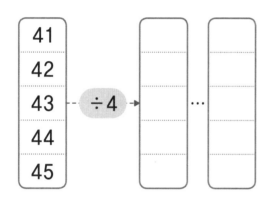

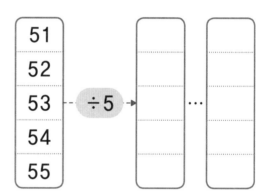

2 몫과 나머지의 합이 가장 큰 나눗셈식에 ◯표 하세요.

56÷5	38÷3	87÷8	46÷3	75÷6

78÷4	62÷3	89÷6	39÷2	99÷5

3 상자 안의 수를 한 번씩 모두 사용하여 나눗셈식을 완성하세요.

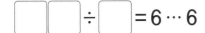 $\square\square \div \square = 6 \cdots 6$

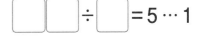 $\square\square \div \square = 5 \cdots 1$

 $\square\square \div \square = 7 \cdots 3$

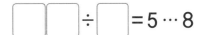 $\square\square \div \square = 5 \cdots 8$

4 공책 59권이 있습니다. 공책을 한 명에게 5권씩 나누어 주려고 합니다. 공책은 몇 명에게 나누어 줄 수 있고, 남은 공책은 몇 권일까요?

식 _____   답 _____ 명, _____ 권

5 색종이가 한 묶음에 6장씩 14묶음이 있습니다. 미술 시간에 한 명이 색종이를 5장씩 사용한다면 몇 명이 사용하고 몇 장이 남을까요?

식 _____   답 _____ 명, _____ 장

1 관계있는 것끼리 선으로 이으세요.

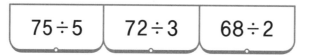

2 바나나 28개를 한 명에게 2개씩 나누어 준다면 몇 명에게 나누어 줄 수 있을까요?

식 _____   답 _____ 명

3 빈칸에 알맞은 수를 쓰세요.

÷	4	7	2
56			
84			

÷	3	9	6
54			
90			

4 ● 안의 수가 몫이 되는 두 수에 모두 색칠하고 나눗셈식을 완성하세요.

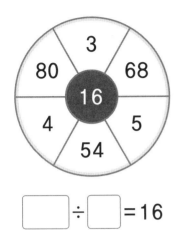

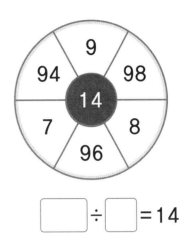

$$\boxed{} \div \boxed{} = 16$$

$$\boxed{} \div \boxed{} = 14$$

5 몫과 나머지를 찾아 선으로 이으세요.

나눗셈	몫	나머지
49÷5	8	4
59÷8	9	3
73÷9	7	1

6 1부터 9까지의 수 중 48을 나누어떨어지게 하는 수를 모두 쓰세요.

7 몫과 나머지를 구하여 빈칸에 쓰세요.

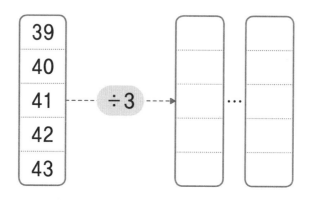

8 상자 안의 수를 한 번씩 모두 사용하여 나눗셈식을 완성하세요.

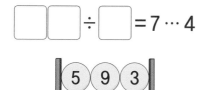

$$\boxed{}\boxed{} \div \boxed{} = 7 \cdots 4$$

5 9 3

$$\boxed{}\boxed{} \div \boxed{} = 6 \cdots 3$$

4 5 7

9 사탕이 68개 있습니다. 사탕을 한 명에게 5개씩 나누어 주려고 합니다. 사탕을 몇 명에게 나누어 줄 수 있고, 남은 사탕은 몇 개일까요?

식 _____   답 _____ 명, _____ 개

4주차

검산식으로 나눗셈 계산 확인하기

검산하기

개념
원리

나눗셈을 하고 검산하여 봅시다.

$$19 \div 5 = \boxed{3} \cdots \boxed{4}$$

검산 $5 \times \boxed{3} + \boxed{4} = \boxed{19}$

●÷■=◆…★의 검산식은 ■×◆+★=●입니다.

$$23 \div 5 = \boxed{} \cdots \boxed{}$$

검산 $5 \times \boxed{} + \boxed{} = \boxed{}$

$$29 \div 3 = \boxed{} \cdots \boxed{}$$

검산 $3 \times \boxed{} + \boxed{} = \boxed{}$

$$29 \div 4 = \boxed{} \cdots \boxed{}$$

검산 $4 \times \boxed{} + \boxed{} = \boxed{}$

$$38 \div 6 = \boxed{} \cdots \boxed{}$$

검산 $6 \times \boxed{} + \boxed{} = \boxed{}$

$$37 \div 5 = \boxed{} \cdots \boxed{}$$

검산 $5 \times \boxed{} + \boxed{} = \boxed{}$

$$51 \div 7 = \boxed{} \cdots \boxed{}$$

검산 $7 \times \boxed{} + \boxed{} = \boxed{}$

$$47 \div 8 = \boxed{} \cdots \boxed{}$$

검산 $8 \times \boxed{} + \boxed{} = \boxed{}$

$$66 \div 9 = \boxed{} \cdots \boxed{}$$

검산 $9 \times \boxed{} + \boxed{} = \boxed{}$

```
      1 8
  ┌─────
3 │ 5 6
    3
  ─────
    2 6
    2 4
  ─────
      2
```

검산 _____

나눗셈을 하고 검산합니다.

```
  ┌─────
5 │ 7 1
```

검산 _____

```
  ┌─────
7 │ 8 7
```

검산 _____

```
  ┌─────
6 │ 8 3
```

검산 _____

```
  ┌─────
4 │ 9 3
```

검산 _____

1 관계있는 것끼리 선으로 이으세요.

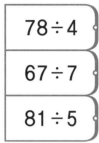

78÷4	5×16+1
67÷7	4×19+2
81÷5	7×9+4

2 검산식을 이용하여 ☐ 안에 알맞은 수를 쓰세요.

$\boxed{44} ÷5=8\cdots4$ ➡ 검산 $5×8+4=44$

$\boxed{} ÷4=14\cdots3$ ➡ 검산

$\boxed{} ÷7=12\cdots5$ ➡ 검산

3 검산하여 계산이 맞으면 ◯표, 틀리면 ✕표 하세요.

$49÷6=8\cdots4$ ⋯⋯ ◯

$29÷5=4\cdots3$ ⋯⋯ ◯

$33÷4=8\cdots1$ ⋯⋯ ◯

$53÷7=8\cdots2$ ⋯⋯ ◯

4 지웅이는 나눗셈을 하고 다음과 같이 검산을 하였습니다. 지웅이가 계산한 나눗셈식과 몫, 나머지를 쓰세요.

검산 $4 \times 19 + 1 = 77$

검산 $5 \times 12 + 1 = 61$

나눗셈식: _____

나눗셈식: _____

몫: _____ , 나머지: _____

몫: _____ , 나머지: _____

5 □를 사용하여 나눗셈식과 검산식을 쓰고 어떤 수를 구하세요.

어떤 수를 7로 나누었더니 몫은 13이고 나머지는 3입니다. 어떤 수는 얼마일까요?

식 _____

검산 _____   어떤 수: _____

65를 어떤 수로 나누었더니 몫은 16이고 나머지는 1입니다. 어떤 수는 얼마일까요?

식 _____

검산 _____   어떤 수: _____

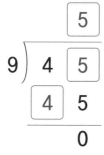

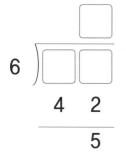

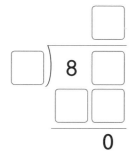

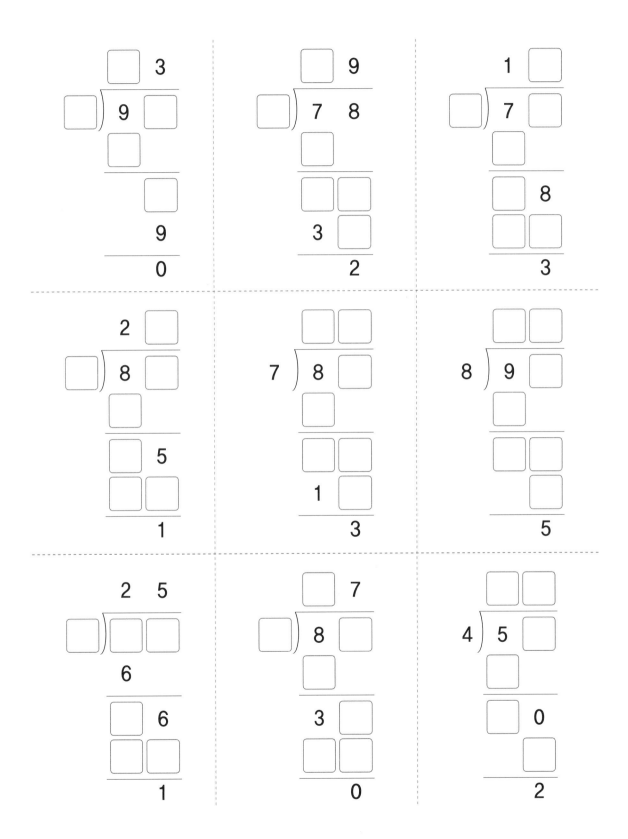

1 두 가지 방법으로 식을 완성하세요.

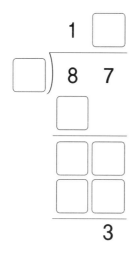

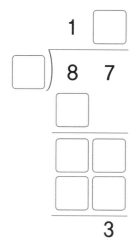

2 나눗셈식과 검산식의 ☐ 안에 알맞은 수를 쓰세요.

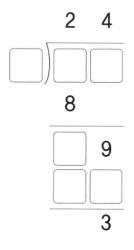

검산 ☐ × 24 + 3 = ☐

검산 7 × ☐ + 2 = ☐

3 세 가지 방법으로 식을 완성하세요.

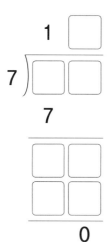 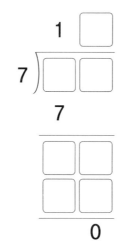 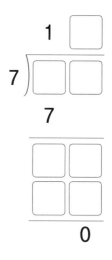

4 오른쪽 나눗셈식에서 ㉠이 나타내는 숫자는 무엇일까요?

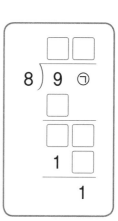

_____

5 오른쪽 나눗셈식에서 ㉠이 될 수 있는 숫자를 모두 쓰세요.

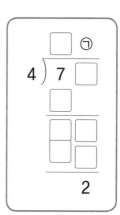

_____

나머지가 큰 나눗셈

개념
원리

숫자 카드를 사용하여 몫 또는 나머지가 가장 큰 (두 자리 수)÷(한 자리 수)의 나눗셈식을 만들어 봅시다.

| 3 | 5 | 8 |

몫이 가장 큰 식: $85 \div 3 = 28 \cdots 1$

나머지가 가장 큰 식: $53 \div 8 = 6 \cdots 5$

몫이 가장 큰 식을 만들 때에는 나누는 수에 가장 작은 수를 씁니다. 나머지는 나누는 수보다 작은 수입니다.

| 5 | 4 | 7 |

몫이 가장 큰 식: $\boxed{} \div \boxed{} = \boxed{} \cdots \boxed{}$

나머지가 가장 큰 식: $\boxed{} \div \boxed{} = \boxed{} \cdots \boxed{}$

| 2 | 3 | 4 |

몫이 가장 큰 식: $\boxed{} \div \boxed{} = \boxed{} \cdots \boxed{}$

나머지가 가장 큰 식: $\boxed{} \div \boxed{} = \boxed{} \cdots \boxed{}$

| 8 | 3 | 6 |

몫이 가장 큰 식: $\boxed{} \div \boxed{} = \boxed{} \cdots \boxed{}$

나머지가 가장 큰 식: $\boxed{} \div \boxed{} = \boxed{} \cdots \boxed{}$

| 7 | 8 | 6 |

몫이 가장 큰 식: $\boxed{} \div \boxed{} = \boxed{} \cdots \boxed{}$

나머지가 가장 큰 식: $\boxed{} \div \boxed{} = \boxed{} \cdots \boxed{}$

4	6	3

몫 또는 나머지가 가장 큰
(두 자리 수)÷(한 자리 수)의
나눗셈식을 만드세요.

몫이 가장 큰 식: $64 \div 3 = 21 \cdots 1$

나머지가 가장 큰 식:

4	9	7

몫이 가장 큰 식:

나머지가 가장 큰 식:

5	6	3

몫이 가장 큰 식:

나머지가 가장 큰 식:

7	6	9

몫이 가장 큰 식:

나머지가 가장 큰 식:

4	5	3

몫이 가장 큰 식:

나머지가 가장 큰 식:

1 안의 수로 나누었을 때 나머지가 될 수 없는 수에 모두 ✕표 하세요.

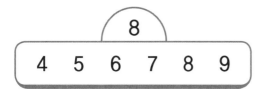

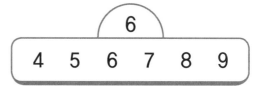

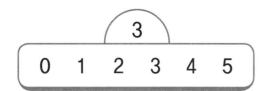

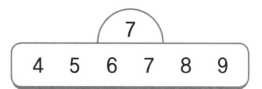

2 안의 수를 상자 안의 수로 나눌 때 나머지가 가장 크게 되는 수를 찾아 색칠하고 나눗셈식을 쓰세요.

나눗셈식: _____

나눗셈식: _____

나눗셈식: _____

나눗셈식: _____

3 나머지가 **4**가 될 수 없는 식에 ×표 하세요.

| □÷7 | □÷4 | □÷8 | □÷6 | □÷9 |

4 주어진 숫자 카드 중 2장을 사용하여 만든 두 자리 수를 남은 숫자 카드의 수로 나누려고 합니다. 나머지가 가장 크게 되는 나눗셈식과 나머지가 가장 작게 되는 나눗셈식을 쓰세요.

2 5 7

나머지가 가장 큰 식: _____

나머지가 가장 작은 식: _____

8 9 4

나머지가 가장 큰 식: _____

나머지가 가장 작은 식: _____

5 연필 **82**자루를 **7**명에게 똑같이 나누어 주려고 합니다. 연필이 모자라지 않으려면 최소한 몇 자루가 더 필요할까요?

_____ 자루

조건에 맞는 수

개념
원리

조건에 맞는 수를 알아봅시다.

> · 20보다 크고 30보다 작은수입니다.
> · 4로 나누어떨어집니다.
> · 5로 나누면 나머지가 4입니다.

20보다 크고 30보다 작은 수 ➡ 21, 22, 23, 24 , 25 , 26 , 27 …

4로 나누어떨어지는 수 ➡ 4, 8, 12, 16 , 20 , 24 , 28 …

5로 나누면 나머지가 4인 수 ➡ 9, 14, 19, 24 , 29 , 34 , 39 …

조건에 맞는 수는 24 입니다.

각 조건에 공통으로 나오는 수가 조건에 맞는 수입니다.

> · 5로 나누어떨어집니다.
> · 3으로 나누면 나머지가 1입니다.
> · 20보다 크고 30보다 작은수입니다.

5로 나누어떨어지는 수 ➡ 5, 10, 15, ☐ , ☐ , ☐ , ☐ …

3으로 나누면 나머지가 1인 수 ➡ …, 16, 19, ☐ , ☐ , ☐ , ☐ …

20보다 크고 30보다 작은 수 ➡ 21, 22, 23, ☐ , ☐ , ☐ , ☐ …

조건에 맞는 수는 ☐ 입니다.

조건에 맞는 수를 모두 찾아 ◯표 합니다.

3으로 나누면 나머지가 1

27	46	56
29	34	41

4로 나누면 나머지가 2

46	12	38
29	32	40

5로 나누면 나머지가 3

51	48	32
96	43	41

7로 나누면 나머지가 1

22	34	50
79	66	12

6으로 나누면 나머지가 5

99	65	78
41	10	23

9로 나누면 나머지가 4

31	44	23
77	13	59

8로 나누면 나머지가 6

29	46	33
30	76	15

1 숫자 카드를 한 번씩 모두 사용하여 나눗셈식을 완성하세요.

| 5 | 3 | 4 |

$$\boxed{}\boxed{} \div \boxed{} = 13 \cdots 1$$

| 4 | 7 | 2 |

$$\boxed{}\boxed{} \div \boxed{} = 6 \cdots 3$$

2 1, 2, 3, 4 중 서로 다른 세 수로 나머지가 1인 (두 자리 수)÷(한 자리 수)의 나눗셈식을 만드세요.

$$\boxed{}\boxed{} \div \boxed{} \qquad \boxed{}\boxed{} \div \boxed{} \qquad \boxed{}\boxed{} \div \boxed{}$$

$$\boxed{}\boxed{} \div \boxed{} \qquad \boxed{}\boxed{} \div \boxed{} \qquad \boxed{}\boxed{} \div \boxed{}$$

3 숫자 카드 중 2장을 사용하여 만든 두 자리 수 중 4로 나누어떨어지는 수는 몇 개일까요?

| 0 | 1 | 2 | 3 | 4 |

$$\boxed{} \text{개}$$

4 다음 나눗셈이 나누어떨어지도록 ☐ 안에 들어갈 숫자를 모두 구하세요.

$3\boxed{} \div 4$

$\boxed{}8 \div 6$

_____

_____

5 주어진 숫자 카드 중 **2**장을 사용하여 만든 두 자리 수를 남은 숫자 카드의 수로 나눌 때 나머지가 **2**가
되는 나눗셈식을 쓰세요.

| **3** | **5** | **7** |

_____

6 조건을 만족하는 수를 구하세요.

- **50**보다 크고 **60**보다 작습니다.
- **7**로 나누면 나머지가 **3**입니다.
- **5**로 나누면 나머지가 **4**입니다.

☐

- **50**보다 작은 수입니다.
- **7**로 나누어떨어집니다.
- **9**로 나누면 나머지가 **1**입니다.

☐

1 관계있는 것끼리 선으로 이으세요.

82÷6		9×8+5
77÷9		7×12+3
87÷7		6×13+4

2 □를 사용하여 나눗셈식과 검산식을 쓰고 어떤 수를 구하세요.

어떤 수를 5로 나누었더니 몫은 19이고 나머지는 2입니다. 어떤 수는 얼마일까요?

식 _____

검산 _____   어떤 수: _____

3 두 가지 방법으로 식을 완성하세요.

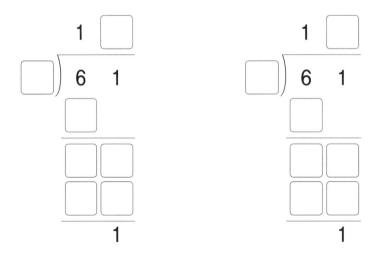

4 오른쪽 나눗셈식에서 ㉠이 될 수 있는 숫자를 모두 쓰세요.

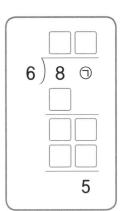

_____

5 ◯ 안의 수로 나누었을 때 나머지가 될 수 있는 수에 모두 ◯표 하세요.

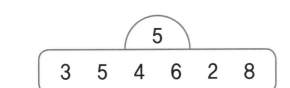

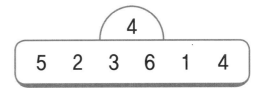

6 주어진 숫자 카드 중 2장을 사용하여 만든 두 자리 수를 남은 숫자 카드의 수로 나누려고 합니다. 나머지가 가장 크게 되는 나눗셈식과 나머지가 가장 작게 되는 나눗셈식을 쓰세요.

| 5 | 7 | 9 |

나머지가 가장 큰 식: _____

나머지가 가장 작은 식: _____

7 숫자 카드를 한 번씩 모두 사용하여 나눗셈식을 완성하세요.

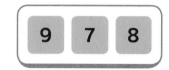

$$\boxed{}\boxed{} \div \boxed{} = 9 \cdots 7$$

$$\boxed{}\boxed{} \div \boxed{} = 7 \cdots 1$$

8 다음 나눗셈이 나누어떨어지도록 ☐ 안에 들어갈 숫자를 모두 구하세요.

$$4\boxed{} \div 3$$

$$\boxed{}2 \div 8$$

9 조건을 만족하는 수를 구하세요.

- 70보다 크고 90보다 작습니다.
- 8로 나누면 나머지가 6입니다.
- 5로 나누면 나머지가 3입니다.

$$\boxed{}$$

상위권으로 가는 문제 해결 연산 학습지

정답

응용연산

B4
초2~초3

(두 자리 수)×(한 자리 수)
(두 자리 수)÷(한 자리 수)

Creative to Math

씨투엠

정답 및 길잡이

(두 자리 수)×(한 자리 수)

241 곱셈하기

두 자리 수와 한 자리 수의 곱셈을 알아봅시다.

$20 \times 3 = \boxed{60}$
$3 \times 3 = \boxed{9}$ }$\boxed{69}$
23×3

$50 \times 3 = \boxed{150}$
$4 \times 3 = \boxed{12}$ }$\boxed{162}$
54×3

$20 \times 4 = \boxed{80}$
$5 \times 4 = \boxed{20}$ }$\boxed{100}$
25×4

```
    4 3
  ×   2
    ─────
      6   ← 3×2
    8 0   ← 40×2
  ─────
    8 6
```

```
    3 8
  ×   2
    ─────
    1 6   ← 8×2
    6 0   ← 30×2
  ─────
    7 6
```

```
    6 2
  ×   2
    ─────
      4   ← 2×2
  1 2 0   ← 60×2
  ─────
  1 2 4
```

```
    7 6
  ×   3
    ─────
    1 8   ← 6×3
  2 1 0   ← 70×3
  ─────
  2 2 8
```

41×2
$40 \times 2 = \boxed{80}$
$1 \times 2 = \boxed{2}$ }$\boxed{82}$

27×3
$20 \times 3 = \boxed{60}$
$7 \times 3 = \boxed{21}$ }$\boxed{81}$

53×3
$50 \times 3 = \boxed{150}$
$3 \times 3 = \boxed{9}$ }$\boxed{159}$

35×6
$30 \times 6 = \boxed{180}$
$5 \times 6 = \boxed{30}$ }$\boxed{210}$

```
    3 3
  ×   3
    ─────
      9
    9 0
  ─────
    9 9
```

```
    2 9
  ×   2
    ─────
    1 8
    4 0
  ─────
    5 8
```

```
    2 7
  ×   3
    ─────
    2 1
    6 0
  ─────
    8 1
```

```
    6 2
  ×   2
    ─────
      4
  1 2 0
  ─────
  1 2 4
```

```
    4 6
  ×   6
    ─────
    3 6
  2 4 0
  ─────
  2 7 6
```

```
    6 5
  ×   3
    ─────
    1 5
  1 8 0
  ─────
  1 9 5
```

응용연산

1 □ 안에 알맞은 수를 쓰세요.

$42 \times 2 = \boxed{80} + \boxed{4}$
$\quad = \boxed{84}$

$19 \times 5 = \boxed{50} + \boxed{45}$
$\quad = \boxed{95}$

$81 \times 4 = \boxed{320} + \boxed{4}$
$\quad = \boxed{324}$

$72 \times 3 = \boxed{210} + \boxed{6}$
$\quad = \boxed{216}$

$25 \times 7 = \boxed{140} + \boxed{35}$
$\quad = \boxed{175}$

$64 \times 8 = \boxed{480} + \boxed{32}$
$\quad = \boxed{512}$

2 윤아는 35×6을 48이라고 계산했습니다. 계산이 틀린 곳을 찾아 바르게 계산하세요.

틀린 계산
```
    3 5
  ×   6
  ─────
    3 0
    1 8
  ─────
    4 8
```

➡

바른 계산
```
    3 5
  ×   6
  ─────
    3 0
  1 8 0
  ─────
  2 1 0
```

3 수직선을 보고 □ 안에 알맞은 수를 쓰세요.

15 15 15 15 15

$15 \times 5 = \boxed{50} + \boxed{25} = \boxed{75}$

4 토마토가 1상자에 24개씩 5상자가 있습니다. 토마토의 개수를 구하는 곱셈식을 완성하세요.

$24 \times \boxed{5} = \boxed{100} + \boxed{20} = \boxed{120}$

5 세발자전거가 16대 있습니다. 자전거 바퀴는 모두 몇 개일까요?

圖 $\boxed{16} \times \boxed{3} = \boxed{30} + \boxed{18} = \boxed{48}$ 답 $\boxed{48}$ 개

2일
242 C

곱셈 알고리즘 (1)

개념원리 곱셈하는 방법을 알아봅시다.

23×2

	2 3		2 3
×	2	×	2
	6		4 6

3×2를 구하여
일의 자리에 6을 씁니다.

2×2를 구하여
십의 자리에 4를 씁니다.

32×4

	3 2		3 2
×	4	×	4
	8	1 2 8	

2×4를 구하여
일의 자리에 8을 씁니다.

3×4를 구하여
십의 자리에 2,
백의 자리에 1을 씁니다.

	3 1		4 3		1 2
×	2	×	2	×	4
	6 2		**8 6**		**4 8**

	5 0		4 1		6 3
×	3	×	5	×	3
1 5 0		**2 0 5**		**1 8 9**	

	3 1		7 4		8 2
×	6	×	2	×	2
1 8 6		**1 4 8**		**1 6 4**	

	1 1		2 4		3 2		1 0
×	7	×	2	×	3	×	5
	7 7		4 8		9 6		5 0

	4 0		9 2		6 1		8 2
×	7	×	2	×	3	×	4
2 8 0		1 8 4		1 8 3		3 2 8	

	5 1		7 3		7 0		9 1
×	5	×	3	×	6	×	8
2 5 5		2 1 9		4 2 0		7 2 8	

22×2＝**44** 10×8＝**80** 13×3＝**39**

61×8＝**488** 93×3＝**279** 42×4＝**168**

82×3＝**246** 73×2＝**146** 50×6＝**300**

응용연산

1 가로, 세로로 두 수의 곱에 맞게 빈칸에 알맞은 수를 쓰세요.

×→		
22	3	66
4	12	48
88	**36**	

×→		
2	13	26
31	3	93
62	**39**	

×→		
3	43	129
73	2	146
219	**86**	

×→		
4	52	208
92	3	276
368	**156**	

2 곱의 크기를 비교하여 ○ 안에 >, =, <를 쓰세요.

11×5 **<** 32×2
＝55 ＝64

42×2 **=** 21×4
＝84 ＝84

21×6 **=** 63×2
＝126 ＝126

72×4 **>** 93×3
＝288 ＝279

3 다음을 보고 어머니와 아버지의 나이를 구하세요.

 나는 11살입니다.
지호

 나는 지호보다 2살이 더 많아요.
민주

 나의 나이는 지호 나이의 4배보다 2살이 적어.
어머니

 나의 나이는 민주 나이의 3배보다 4살이 더 많아.
아버지

어머니: **42** 살, 아버지: **43** 살

4 도희네 학교 3학년은 6개 반입니다. 각 반의 학생 수는 모두 21명입니다. 도희네 학교 3학년 학생은 모두 몇 명일까요?

식 6×21＝126   답 126 명

5 연극을 보기 위해 사람들이 강당에 모였습니다. 강당에는 4명씩 앉을 수 있는 의자가 32개 있습니다. 의자에 앉을 수 있는 사람은 모두 몇 명일까요?

식 4×32＝128   답 128 명

3일 243 C

곱셈 알고리즘 (2)

올림이 있는 곱셈을 하는 방법을 알아봅시다.

15×5

$$\begin{array}{r} \overset{2}{1}\,5 \\ \times\quad 5 \\ \hline 5 \end{array}\quad \begin{array}{r} \overset{2}{1}\,5 \\ \times\quad 5 \\ \hline 7\,5 \end{array}$$

5×5의 계산에서 십의 자리 숫자 2를 작게 적어 올림하는 수를 표시합니다.

1×5의 계산에 올림한 수 2를 더하여 십의 자리에 7을 씁니다.

37×5

$$\begin{array}{r} \overset{3}{3}\,7 \\ \times\quad 5 \\ \hline 5 \end{array}\quad \begin{array}{r} \overset{3}{3}\,7 \\ \times\quad 5 \\ \hline 1\,8\,5 \end{array}$$

7×5의 계산에서 십의 자리 숫자 3을 작게 적어 올림하는 수를 표시합니다.

3×5의 계산에 올림한 수 3을 더하여 백의 자리에 1, 십의 자리에 8을 씁니다.

$$\begin{array}{r} \overset{2}{2}\,7 \\ \times\quad 3 \\ \hline 8\,1 \end{array}\qquad \begin{array}{r} \overset{1}{1}\,2 \\ \times\quad 7 \\ \hline 8\,4 \end{array}\qquad \begin{array}{r} \overset{1}{2}\,4 \\ \times\quad 4 \\ \hline 9\,6 \end{array}$$

$$\begin{array}{r} \overset{2}{3}\,5 \\ \times\quad 4 \\ \hline 1\,4\,0 \end{array}\qquad \begin{array}{r} \overset{5}{5}\,9 \\ \times\quad 6 \\ \hline 3\,5\,4 \end{array}\qquad \begin{array}{r} \overset{4}{8}\,6 \\ \times\quad 8 \\ \hline 6\,8\,8 \end{array}$$

$$\begin{array}{r} \overset{1}{6}\,2 \\ \times\quad 9 \\ \hline 5\,5\,8 \end{array}\qquad \begin{array}{r} \overset{4}{7}\,8 \\ \times\quad 5 \\ \hline 3\,9\,0 \end{array}\qquad \begin{array}{r} \overset{2}{4}\,9 \\ \times\quad 3 \\ \hline 1\,4\,7 \end{array}$$

$$\begin{array}{r} 4\,9 \\ \times\quad 2 \\ \hline 9\,8 \end{array}\qquad \begin{array}{r} 1\,3 \\ \times\quad 6 \\ \hline 7\,8 \end{array}\qquad \begin{array}{r} 2\,3 \\ \times\quad 4 \\ \hline 9\,2 \end{array}\qquad \begin{array}{r} 1\,6 \\ \times\quad 4 \\ \hline 6\,4 \end{array}$$

$$\begin{array}{r} 5\,5 \\ \times\quad 5 \\ \hline 2\,7\,5 \end{array}\qquad \begin{array}{r} 6\,3 \\ \times\quad 7 \\ \hline 4\,4\,1 \end{array}\qquad \begin{array}{r} 9\,6 \\ \times\quad 2 \\ \hline 1\,9\,2 \end{array}\qquad \begin{array}{r} 6\,7 \\ \times\quad 4 \\ \hline 2\,6\,8 \end{array}$$

$$\begin{array}{r} 4\,3 \\ \times\quad 6 \\ \hline 2\,5\,8 \end{array}\qquad \begin{array}{r} 7\,4 \\ \times\quad 8 \\ \hline 5\,9\,2 \end{array}\qquad \begin{array}{r} 6\,5 \\ \times\quad 9 \\ \hline 5\,8\,5 \end{array}\qquad \begin{array}{r} 8\,5 \\ \times\quad 3 \\ \hline 2\,5\,5 \end{array}$$

$19×4=76$ $39×2=78$ $17×5=85$

$37×6=222$ $88×4=352$ $34×7=238$

$67×8=536$ $59×3=177$ $73×9=657$

응용연산

1 곱셈을 하여 빈칸에 알맞은 수를 쓰세요.

11		55
17	×5	85
36		180

13		39
27	×3	81
48		144

23		92
42	×4	168
31		124

12		84
64	×7	448
42		294

2 숫자 퍼즐의 빈칸에 알맞은 수를 쓰세요.

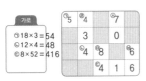

가로
㉠ 18×3=54
㉡ 12×4=48
㉢ 8×52=416

세로
㉣ 62×7=434
㉤ 6×14=84
㉥ 22×3=66
㉦ 14×5=70

3 99와 1, 2, 3의 곱을 구하고 규칙을 찾아 나머지 곱도 구하세요.

99×1=100−1= **99**

99×2=(100−1)+(100−1)=200−2= **198**

99×3=(100−1)+(100−1)+(100−1)=300−3= **297**

99×4= **396**   99×5= **495**   99×6= **594**

99×7= **693**   99×8= **792**   99×9= **891**

4 동현이는 가게에서 쿠키를 사려고 합니다. 동현이가 사고 싶은 쿠키는 한 봉지에 17개씩 들어있습니다. 4봉지에 들어있는 쿠키는 모두 몇 개일까요?

식 **17×4=68**   답 **68** 개

5 철호는 동화책을 하루에 28쪽씩 일주일 동안 읽었습니다. 철호가 읽은 동화책은 모두 몇 쪽일까요?

식 **28×7=196**   답 **196** 쪽

4일 244 C 벌레 먹은 곱셈

주어진 수를 한 번씩 모두 사용하여 곱셈식을 완성하여 봅시다.

4 / **1 8**

	3	
×	3	
	1	

➡

	3	8
×		3
	1	4

일의 자리 계산에 맞는
두 수를 찾습니다.

	3	8
×		3
1	1	4

나머지 수를 빈칸에 넣어
곱셈이 맞는지 확인합니다.

	1	6
×		4
	6	4

1 4 6

	3	7
×		2
	7	4

2 7 4

	1	3
×		5
	6	5

5 6 3

	7	9
×		6
4	7	4

7 6 4

	3	4
×		5
1	7	0

4 1 0

	2	5
×		8
2	0	0

2 0 5

	2	6
×		9
2	3	4

	1	3
×		7
	9	1

	1	3
×		6
	7	8

	4	2
×		5
2	1	0

	6	7
×		4
2	6	8

	2	4
×		8
1	9	2

	3	7
×		7
2	5	9

	1	7
×		7
1	1	9

	3	7
×		5
1	8	5

	2	5
×		6
1	5	0

	6	2
×		7
4	3	4

	4	3
×		9
3	8	7

응용연산

1 상자 안의 수를 한 번씩 모두 사용하여 곱셈식을 완성하세요.

	4	7
×		8
3	7	6

4 3 7 6

	8	5
×		8
6	8	0

5 6 8 0

	6	7
×		7
4	6	9

7 6 4 9

2 □안에 알맞은 수를 넣어 두 가지 방법으로 식을 완성하세요.

	2	0
×		6
1	2	0

	2	1
×		6
1	2	6

	2	2
×		6
1	3	2

	2	3
×		6
1	3	8

	2	5
×		6
1	5	0

	2	6
×		6
1	5	6

	2	7
×		6
1	6	2

	2	8
×		6
1	6	8

3 다음과 같이 올바른 곱셈식이 되도록 카드 1장을 /로 지우고 식을 쓰세요.

5 7 × 6 3 = 1 7 1	➡	57×3=171
2 3 × 4 8 = 9 2	➡	23×4=92
6 8 × 4 5 = 2 7 0	➡	6×45=270
2 7 × 6 9 = 1 6 2	➡	27×6=162

4 □안에 알맞은 수를 넣어 세 가지 방법으로 식을 완성하세요.

	8	4
×		9
7	5	6

	9	2
×		8
7	3	6

	9	7
×		8
7	7	6

22·23쪽

5일 형성평가

1 □안에 알맞은 수를 쓰세요.

$14 \times 2 = \boxed{20} + \boxed{8}$
$\quad\quad = \boxed{28}$

$23 \times 3 = \boxed{60} + \boxed{9}$
$\quad\quad = \boxed{69}$

$62 \times 4 = \boxed{240} + \boxed{8}$
$\quad\quad = \boxed{248}$

$51 \times 7 = \boxed{350} + \boxed{7}$
$\quad\quad = \boxed{357}$

2 사탕이 12개씩 들어있는 상자가 4개 있습니다. 사탕의 개수를 구하는 곱셈식을 완성하세요.

$12 \times \boxed{4} = \boxed{40} + \boxed{8} = \boxed{48}$

3 가로, 세로로 두 수의 곱에 맞게 빈칸에 알맞은 수를 쓰세요.

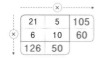

×→		
21	5	105
6	10	60
126	50	

×→		
4	21	84
32	2	64
128	42	

4 창희네 학교 1학년에는 한 반에 31명씩 9개 반이 있습니다. 창희네 학교 1학년 학생은 모두 몇 명일까요?

식 __31×9=279__   답 __279__ 명

5 곱셈을 하여 빈칸에 알맞은 수를 쓰세요.

21		84
18	×4 →	72
43		172

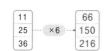

11		66
25	×6 →	150
36		216

6 민호는 하루에 24쪽씩 일주일 동안 동화책을 읽었습니다. 동화책을 모두 몇 쪽 읽었을까요?

식 __24×7=168__   답 __168__ 쪽

24쪽

7 □안에 알맞은 수를 넣어 두 가지 방법으로 식을 완성하세요.

$$\begin{array}{r} 3\,\boxed{0} \\ \times\ \boxed{6} \\ \hline 1\ 8\ 0 \end{array}$$

$$\begin{array}{r} 3\,\boxed{6} \\ \times\ \boxed{5} \\ \hline 1\ 8\ 0 \end{array}$$

8 올바른 곱셈식이 되도록 카드 1장을 /로 지우고 식을 쓰세요.

$\boxed{7}\ \boxed{8}\!\!\!/\ \times\ \boxed{3}\ \boxed{4}\ =\ \boxed{2}\ \boxed{3}\ \boxed{8}$ ➡ __7×34=238__

$\boxed{6}\!\!\!/\ \boxed{9}\ \times\ \boxed{5}\ \boxed{8}\ =\ \boxed{5}\ \boxed{2}\ \boxed{2}$ ➡ __9×58=522__

9 홍민이는 상자 6개를 가지고 있습니다. 한 상자에 딸기를 36개씩 담으면 상자에 넣은 딸기는 모두 몇 개일까요?

식 __6×36=216__   답 __216__ 개

(두 자리 수)×(한 자리 수) 활용

26·27쪽

1일 245 곱이 같은 두 수

곱이 같은 곱셈식을 알아봅시다.

1 × 48 =48	2 × 24 =48	3 × 16 =48
4 × 12 =48	6 × 8 =48	8 × 6 =48
12 × 4 =48	16 × 3 =48	24 × 2 =48
48 × 1 =48		

두 수의 곱이 48이 되는 곱셈식은 10가지가 있습니다.

1 × 26 =26	1 × 52 =52	1 × 64 =64
2 × 13 =26	2 × 26 =52	2 × 32 =64
13 × 2 =26	4 × 13 =52	4 × 16 =64
26 × 1 =26	13 × 4 =52	8 × 8 =64
	26 × 2 =52	16 × 4 =64
	52 × 1 =52	32 × 2 =64
		64 × 1 =64

1 × 36 =36	1 × 60 =60	1 × 84 =84
2 × 18 =36	2 × 30 =60	2 × 42 =84
3 × 12 =36	3 × 20 =60	3 × 28 =84
4 × 9 =36	4 × 15 =60	4 × 21 =84
6 × 6 =36	5 × 12 =60	6 × 14 =84
9 × 4 =36	6 × 10 =60	7 × 12 =84
12 × 3 =36	10 × 6 =60	12 × 7 =84
18 × 2 =36	12 × 5 =60	14 × 6 =84
36 × 1 =36	15 × 4 =60	21 × 4 =84
	20 × 3 =60	28 × 3 =84
	30 × 2 =60	42 × 2 =84
	60 × 1 =60	84 × 1 =84

28·29쪽

응용연산

1 안의 수가 곱이 되는 이웃한 두 수를 모두 찾아 ◯ 또는 ◯ 로 묶으세요.

36

3	8	4
12	2	18
7	15	3

88

5	22	4
11	2	18
8	16	6

68

17	4	20
5	34	4
22	2	39

42

2	11	3
10	5	14
6	21	2

3 민호의 카드에 있는 두 수의 곱과 정우의 카드에 있는 두 수의 곱이 같습니다. 정우가 가지고 있는 뒤집힌 카드의 수를 구하세요.

 15 6 민호   **30 ?** 정우   ? = 3

15×6=90

30× ☐ =90

☐ =3

4 계산 결과가 다른 하나를 찾아 ×표 하세요.

12×6=72	36×2=72	18×4=72
24×3=72	17×4=68	9×8=72

2 각 주머니의 수를 하나씩 사용하여 곱셈식을 완성하세요.

 12 41 28 21   6 4 3 2

(21)×(4)=84

(28)×(3)=84

 32 16 68 34   6 8 4 2

(16)×(8)=128

(32)×(4)=128

5 수일이는 하루에 18쪽씩 4일 동안 동화책을 읽었습니다. 정호가 같은 동화책을 3일 동안 읽으려고 합니다. 정호는 동화책을 하루에 몇 쪽씩 읽어야 할까요?

18×4=72, ☐ ×3=72, ☐ =24   24 쪽

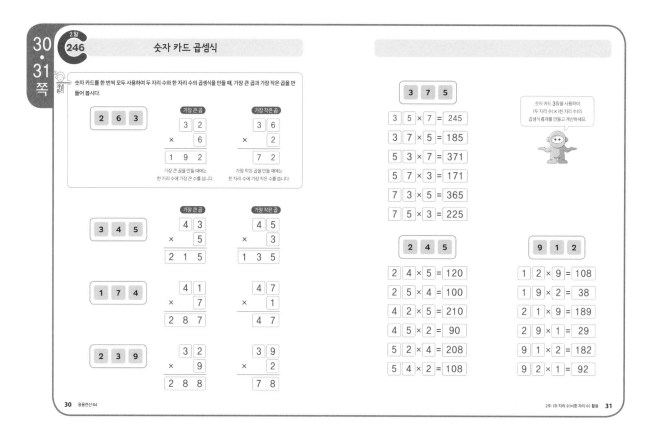

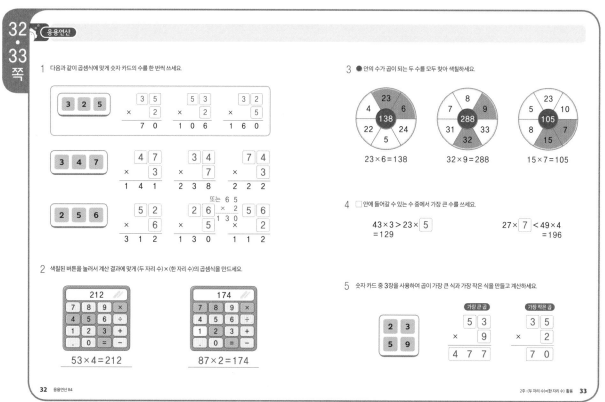

3일
247

덧셈을 곱셈으로 풀기

1, 2, 3과 같이 차례로 나열되어 있는 수를 연속수라고 합니다. 연속수의 합을 구해 봅시다.

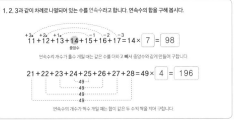

$$11+12+13+14+15+16+17=14 \times \boxed{7} = \boxed{98}$$
중앙수

연속수의 개수가 홀수 개일 때는 같은 수를 더하고 빼서 중앙수와 같게 만들어 구합니다.

$$21+22+23+24+25+26+27+28=49 \times \boxed{4} = \boxed{196}$$

연속수의 개수가 짝수 개일 때는 합이 같은 두 수씩 짝을 지어 구합니다.

$$13+14+15+16+17=15 \times \boxed{5} = \boxed{75}$$

$$23+24+25+26+27+28=51 \times \boxed{3} = \boxed{153}$$

$$30+31+32+33+34+35+36=33 \times \boxed{7} = \boxed{231}$$

$$14+15+16+17+18+19+20+21=35 \times \boxed{4} = \boxed{140}$$

$$35+36+37+38+39+40=75 \times \boxed{3} = \boxed{225}$$

덧셈식을 완성하고 곱셈을 이용하여 계산하세요.

14보다 크고 20보다 작은 수의 합

$$\boxed{15} + \boxed{16} + \boxed{17} + \boxed{18} + \boxed{19}$$
$$= \boxed{17} \times \boxed{5} = \boxed{85}$$

16보다 크고 21보다 작은 수의 합

$$\boxed{17} + \boxed{18} + \boxed{19} + \boxed{20} = \boxed{37} \times \boxed{2} = \boxed{74}$$

24보다 크고 31보다 작은 수의 합

$$\boxed{25} + \boxed{26} + \boxed{27} + \boxed{28} + \boxed{29} + \boxed{30} = \boxed{55} \times \boxed{3} = \boxed{165}$$

31보다 크고 39보다 작은 수의 합

$$\boxed{32} + \boxed{33} + \boxed{34} + \boxed{35} + \boxed{36} + \boxed{37} + \boxed{38}$$
$$= \boxed{35} \times \boxed{7} = \boxed{245}$$

42보다 크고 51보다 작은 수의 합

$$\boxed{43} + \boxed{44} + \boxed{45} + \boxed{46} + \boxed{47} + \boxed{48} + \boxed{49} + \boxed{50}$$
$$= \boxed{93} \times \boxed{4} = \boxed{372}$$

응용연산

1 달력에 색칠된 날짜의 합을 구하세요.

일	월	화	수	목	금	토
1	2	3	4	5	6	7
8	9	10	11	12	13	14
15	16	17	18	19	20	21
22	23	24	25	26	27	28
29	30	31				

$$\boxed{126}$$
$$18 \times 7 = 126$$

일	월	화	수	목	금	토
				1	2	3
5	6	7	8	9	10	11
12	13	14	15	16	17	18
19	20	21	22	23	24	25
26	27	28	29	30		

$$\boxed{120}$$
$$30 \times 4 = 120$$

일	월	화	수	목	금	토
					1	2
3	4	5	6	7	8	9
10	11	12	13	14	15	16
17	18	19	20	21	22	23
24	25	26	27	28	29	30

$$\boxed{75}$$
$$15 \times 5 = 75$$

일	월	화	수	목	금	토
				1	2	3
4	5	6	7	8	9	10
11	12	13	14	15	16	17
18	19	20	21	22	23	24
25	26	27	28	29	30	

$$\boxed{135}$$
$$15 \times 9 = 135$$

2 일정한 규칙으로 나열된 다음 수들의 합을 구하세요.

$$1+3+5+\cdots+15+17+19= \boxed{100} \quad 20 \times 5 = 100$$

$$2+4+6+\cdots+16+18+20= \boxed{110} \quad 22 \times 5 = 110$$

3 계산 규칙을 찾아 □ 안에 알맞은 수를 쓰세요.

$$15 ⊙ 3 = 15+16+17 = 48$$
$$25 ⊙ 4 = 25+26+27+28 = 106$$
$$12 ⊙ 5 = 12+13+14+15+16 = 70$$

$$10 ⊙ 6 = \boxed{75}$$
$$10+11+12+13+14+15$$
$$= 75$$

$$19 ⊙ 7 = \boxed{154}$$
$$19+20+21+22+23+24+25$$
$$= 154$$

4 일정한 규칙에 따라 9개의 수가 다음과 같이 나열되어 있습니다. 이 수들의 합을 구하세요.

$$\boxed{11 \quad 15 \quad 19 \quad 23 \quad \cdots\cdots} \qquad \boxed{243}$$

$$11+15+19+23+27+31+35+39+43=243$$

5 정현이는 오늘 동화책을 18쪽부터 읽기 시작하여 모두 12쪽을 읽었습니다. 정현이가 오늘 읽은 쪽수의 합을 구하세요.

$$18+19+20+21+22+23+24+25+26+27+28+29 \quad \underline{282} \quad 쪽$$
$$= 47 \times 6 = 282$$

정답 및 해설 **9**

38·39쪽

248 세 수의 곱셈

세 수의 곱셈을 알아봅시다.

$16 \times 2 \times 3 = \boxed{32} \times 3 = \boxed{96}$

$16 \times 2 \times 3 = \boxed{48} \times 2 = \boxed{96}$

$16 \times 2 \times 3 = 16 \times \boxed{6} = \boxed{96}$

세 수의 곱을 구할 때에는 순서에 상관없이 두 수의 곱을 구한 다음 나머지 수를 곱합니다.

$3 \times 9 \times 2 = \boxed{27} \times 2$
$= \boxed{54}$

$4 \times 6 \times 3 = \boxed{24} \times 3$
$= \boxed{72}$

$12 \times 2 \times 4 = \boxed{48} \times 2$
$= \boxed{96}$

$4 \times 3 \times 5 = \boxed{20} \times 3$
$= \boxed{60}$

$3 \times 15 \times 4 = 3 \times \boxed{60}$
$= \boxed{180}$

$3 \times 4 \times 4 = 3 \times \boxed{16}$
$= \boxed{48}$

$12 \times 8 \times 1 = \boxed{96} \times 1$
$= \boxed{96}$

$4 \times 17 \times 0 = 4 \times \boxed{0}$
$= \boxed{0}$

$5 \times 2 \times 9 = 90$ | $14 \times 6 \times 3 = 252$ | $8 \times 7 \times 4 = 224$

$4 \times 5 \times 3 = 60$ | $9 \times 1 \times 7 = 63$ | $2 \times 24 \times 3 = 144$

$8 \times 7 \times 3 = 168$ | $6 \times 9 \times 3 = 162$ | $31 \times 3 \times 1 = 93$

$16 \times 1 \times 5 = 80$ | $0 \times 4 \times 27 = 0$ | $7 \times 6 \times 9 = 378$

$7 \times 3 \times 4 = 84$ | $8 \times 2 \times 8 = 128$ | $11 \times 5 \times 4 = 220$

$4 \times 27 \times 2 = 216$ | $6 \times 4 \times 5 = 120$ | $3 \times 8 \times 15 = 360$

$6 \times 8 \times 5 = 240$ | $3 \times 9 \times 7 = 189$ | $4 \times 7 \times 7 = 196$

$23 \times 3 \times 2 = 138$ | $15 \times 0 \times 7 = 0$ | $2 \times 4 \times 29 = 232$

40·41쪽

응용연산

1 계산 결과에 맞게 길을 그리세요.

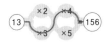

3 다음은 세 수의 곱을 세로셈으로 계산한 것입니다. ㉠, ㉡, ㉢이 나타내는 숫자를 구하세요.

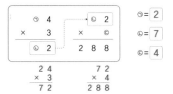

㉠ = $\boxed{2}$
㉡ = $\boxed{7}$
㉢ = $\boxed{4}$

$\begin{array}{r} 2\,4 \\ \times\ 3 \\ \hline 7\,2 \end{array}$
$\begin{array}{r} 7\,2 \\ \times\ 4 \\ \hline 2\,8\,8 \end{array}$

4 송이네 학교 3학년에는 한 반에 24명씩 4개 반이 있습니다. 3학년 학생이 모두 자신의 화분에 씨앗을 2개씩 심어 키우기로 하였습니다. 필요한 씨앗은 모두 몇 개일까요?

식 $\underline{24 \times 4 \times 2 = 192}$ 답 $\underline{192}$ 개

2 사다리를 타고 내려가는 길의 계산에 맞게 빈칸에 알맞은 수를 쓰세요.

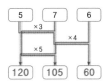

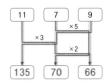

5 지호는 색종이를 15장 가지고 있고, 도준이는 지호가 가진 색종이 수의 3배만큼 색종이를 가지고 있습니다. 민주는 도준이가 가진 색종이 수의 4배만큼 색종이를 가지고 있습니다. 민주가 가지고 있는 색종이는 몇 장일까요?

식 $\underline{15 \times 3 \times 4 = 180}$ 답 $\underline{180}$ 장

42·43쪽

42·43 쪽

형성평가

1 ●안의 수가 곱이 되는 이웃한 두 수를 모두 찾아 ◯ 또는 () 로 묶으세요.

3	16	4
8	2	12
24	15	6

48

6	17	2
12	5	16
4	18	3

72

2 계산 결과가 다른 하나를 찾아 ✕표 하세요.

| 8×6 =48 | 24×2=48 | ✕=49 |
| 12×4=48 | 3×16=48 | 1×48=48 |

3 곱셈식에 맞게 숫자 카드의 수를 한 번씩 쓰세요.

 4 8 6

```
    4 8        4 6        6 8
  ×   6      ×   8      ×   4
  2 8 8      3 6 8      2 7 2
```

4 ●안의 수가 곱이 되는 두 수를 모두 찾아 색칠하세요.

210

34, 5, 7, 36, 35, 6

35×6=210

176

8, 9, 23, 7, 21, 22

22×8=176

5 달력에 색칠된 날짜의 합을 구하세요.

일	월	화	수	목	금	토
			1	2	3	4	5	6	7
8	9	10	11	12	13	14
15	16	17	18	19	20	21
22	23	24	25	26	27	28
29	30	31				

105

12+13+14+15+16+17+18=15×7=105

6 계산 규칙을 찾아 ☐안에 알맞은 수를 쓰세요.

21+20+19+18+17+16=111

| 3▣18=18+17+16=51 |
| 4▣23=23+22+21+20=86 |
| 5▣19=19+18+17+16+15=85 |

6▣21= 111

7▣28= 175

28+27+26+25+24+23+22=175

42 응용연산 B4 　　　　　2주 (두 자리 수)×(한 자리 수) 활용 43

44쪽

7 계산 결과에 맞게 길을 그리세요.

15 —×5—×4— 300
   ×6 ×3

23 —×4—×7— 414
   ×3 ×6

8 다음은 세 수의 곱을 세로셈으로 계산한 것입니다. ㉠, ㉡, ㉢이 나타내는 숫자를 구하세요.

```
  ㉠ 8        ㉡ 6
×   2      ×   ㉢
  ㉡ 6      4 8 0
```

㉠= 4

㉡= 9

㉢= 5

```
  4 8        9 6
×   2      ×   5
  9 6      4 8 0
```

9 장미네 학교 2학년에는 한 반에 13명씩 6개 반이 있습니다. 2학년 학생들에게 모두 연필을 3자루씩 나누어 주기로 하였습니다. 필요한 연필은 모두 몇 자루일까요?

식 13×6×3=234

답 234 자루

44 응용연산 B4

(두 자리 수)÷(한 자리 수)

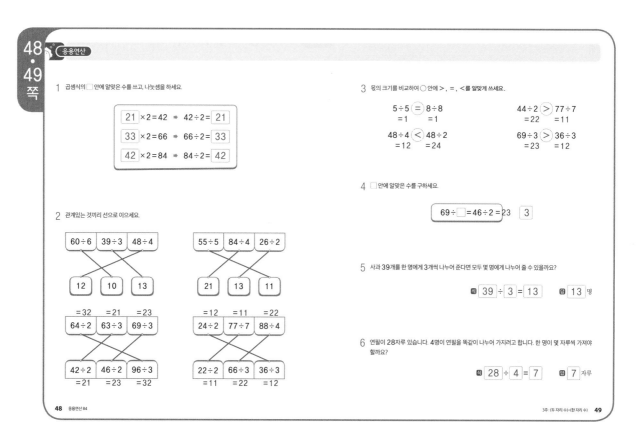

46·47쪽

249

나눗셈

개념 나눗셈을 알아봅시다.

십의 자리 숫자 9를 3으로 나눈 몫 3을 십의 자리, 일의 자리 숫자 6을 3으로 나눈 몫 2를 일의 자리에 씁니다.

$96 \div 3 = \boxed{3}\ \boxed{2}$

$84 \div 2 = \boxed{4}\ \boxed{2}$ $36 \div 3 = \boxed{1}\ \boxed{2}$

$76 \div 1 = \boxed{7}\ \boxed{6}$ $44 \div 2 = \boxed{2}\ \boxed{2}$

$69 \div 3 = \boxed{2}\ \boxed{3}$ $77 \div 7 = \boxed{1}\ \boxed{1}$

$48 \div 4 = \boxed{1}\ \boxed{2}$ $26 \div 2 = \boxed{1}\ \boxed{3}$

$99 \div 3 = \boxed{3}\ \boxed{3}$ $86 \div 2 = \boxed{4}\ \boxed{3}$

$68 \div 2 = 34$	$24 \div 2 = 12$	$88 \div 4 = 22$
$78 \div 1 = 78$	$66 \div 3 = 22$	$55 \div 5 = 11$
$82 \div 2 = 41$	$36 \div 3 = 12$	$66 \div 2 = 33$
$84 \div 4 = 21$	$53 \div 1 = 53$	$48 \div 4 = 12$
$99 \div 9 = 11$	$62 \div 2 = 31$	$28 \div 2 = 14$
$26 \div 2 = 13$	$39 \div 3 = 13$	$42 \div 2 = 21$
$41 \div 1 = 41$	$66 \div 6 = 11$	$96 \div 3 = 32$
$88 \div 2 = 44$	$93 \div 3 = 31$	$51 \div 1 = 51$

48·49쪽

응용연산

1 곱셈식의 □안에 알맞은 수를 쓰고, 나눗셈을 하세요.

$\boxed{21} \times 2 = 42 \ \Rightarrow\ 42 \div 2 = \boxed{21}$

$\boxed{33} \times 2 = 66 \ \Rightarrow\ 66 \div 2 = \boxed{33}$

$\boxed{42} \times 2 = 84 \ \Rightarrow\ 84 \div 2 = \boxed{42}$

2 관계있는 것끼리 선으로 이으세요

$60 \div 6$	$39 \div 3$	$48 \div 4$
12	10	13

$55 \div 5$	$84 \div 4$	$26 \div 2$
21	13	11

$=32$	$=21$	$=23$
$64 \div 2$	$63 \div 3$	$69 \div 3$

$42 \div 2$	$46 \div 2$	$96 \div 3$
$=21$	$=23$	$=32$

$=12$	$=11$	$=22$
$24 \div 2$	$77 \div 7$	$88 \div 4$

$22 \div 2$	$66 \div 3$	$36 \div 3$
$=11$	$=22$	$=12$

3 몫의 크기를 비교하여 ○안에 >, =, <를 알맞게 쓰세요.

$5 \div 5 \ \boxed{=}\ 8 \div 8$
$= 1 \qquad = 1$

$48 \div 4 \ \boxed{<}\ 48 \div 2$
$= 12 \qquad = 24$

$44 \div 2 \ \boxed{>}\ 77 \div 7$
$= 22 \qquad = 11$

$69 \div 3 \ \boxed{>}\ 36 \div 3$
$= 23 \qquad = 12$

4 □안에 알맞은 수를 구하세요

$69 \div \boxed{\ } = 46 \div 2 = 23$ $\boxed{3}$

5 사과 39개를 한 명에게 3개씩 나누어 준다면 모두 몇 명에게 나누어 줄 수 있을까요?

식 $\boxed{39} \div \boxed{3} = \boxed{13}$ 답 $\boxed{13}$ 명

6 연필이 28자루 있습니다. 4명이 연필을 똑같이 나누어 가지려고 합니다. 한 명이 몇 자루씩 가져야 할까요?

식 $\boxed{28} \div \boxed{4} = \boxed{7}$ 답 $\boxed{7}$ 자루

250 2일 **C**

나머지가 없는 나눗셈

세로로 나눗셈을 하는 방법을 알아봅시다.

$63 \div 3 = \boxed{21}$

$$\begin{array}{r} \boxed{2}\ \boxed{1} \\ 3\overline{)6\ \ 3} \\ \boxed{6} \quad \leftarrow 3 \times 2 \\ \hline \boxed{3} \quad \leftarrow 63-60 \\ \boxed{3} \quad \leftarrow 3 \times 1 \\ \hline 0 \quad \leftarrow 3-3 \end{array}$$

$64 \div 4 = \boxed{16}$

$$\begin{array}{r} \boxed{1}\ \boxed{6} \\ 4\overline{)6\ \ 4} \\ \boxed{4} \quad \leftarrow 4 \times 1 \\ \hline \boxed{2}\ \boxed{4} \quad \leftarrow 64-40 \\ \boxed{2}\ \boxed{4} \quad \leftarrow 4 \times 6 \\ \hline 0 \quad \leftarrow 24-24 \end{array}$$

$48 \div 2 = \boxed{24}$

$$\begin{array}{r} \boxed{2}\ \boxed{4} \\ 2\overline{)4\ \ 8} \\ 4 \\ \hline 8 \\ 8 \\ \hline 0 \end{array}$$

$78 \div 6 = \boxed{13}$

$$\begin{array}{r} \boxed{1}\ \boxed{3} \\ 6\overline{)7\ \ 8} \\ 6 \\ \hline 1\ 8 \\ 1\ 8 \\ \hline 0 \end{array}$$

$75 \div 5 = \boxed{15}$

$$\begin{array}{r} \boxed{1}\ \boxed{5} \\ 5\overline{)7\ \ 5} \\ 5 \\ \hline 2\ 5 \\ 2\ 5 \\ \hline 0 \end{array}$$

$96 \div 3 = \boxed{32}$

$$\begin{array}{r} 3\ 2 \\ 3\overline{)9\ \ 6} \\ 9 \\ \hline 6 \\ 6 \\ \hline 0 \end{array}$$

$88 \div 4 = \boxed{22}$

$$\begin{array}{r} 2\ 2 \\ 4\overline{)8\ \ 8} \\ 8 \\ \hline 8 \\ 8 \\ \hline 0 \end{array}$$

$68 \div 2 = \boxed{34}$

$$\begin{array}{r} 3\ 4 \\ 2\overline{)6\ \ 8} \\ 6 \\ \hline 8 \\ 8 \\ \hline 0 \end{array}$$

$75 \div 3 = \boxed{25}$

$$\begin{array}{r} 2\ 5 \\ 3\overline{)7\ \ 5} \\ 6 \\ \hline 1\ 5 \\ 1\ 5 \\ \hline 0 \end{array}$$

$58 \div 2 = \boxed{29}$

$$\begin{array}{r} 2\ 9 \\ 2\overline{)5\ \ 8} \\ 4 \\ \hline 1\ 8 \\ 1\ 8 \\ \hline 0 \end{array}$$

$72 \div 4 = \boxed{18}$

$$\begin{array}{r} 1\ 8 \\ 4\overline{)7\ \ 2} \\ 4 \\ \hline 3\ 2 \\ 3\ 2 \\ \hline 0 \end{array}$$

$84 \div 7 = \boxed{12}$

$$\begin{array}{r} 1\ 2 \\ 7\overline{)8\ \ 4} \\ 7 \\ \hline 1\ 4 \\ 1\ 4 \\ \hline 0 \end{array}$$

$96 \div 8 = \boxed{12}$

$$\begin{array}{r} 1\ 2 \\ 8\overline{)9\ \ 6} \\ 8 \\ \hline 1\ 6 \\ 1\ 6 \\ \hline 0 \end{array}$$

$78 \div 6 = \boxed{13}$

$$\begin{array}{r} 1\ 3 \\ 6\overline{)7\ \ 8} \\ 6 \\ \hline 1\ 8 \\ 1\ 8 \\ \hline 0 \end{array}$$

응용연산

1 곱셈식의 □ 안에 알맞은 수를 쓰고, 나눗셈을 하세요.

$\boxed{12} \times 3 = 36 \Rightarrow 36 \div 3 = \boxed{12}$

$\boxed{14} \times 5 = 70 \Rightarrow 70 \div 5 = \boxed{14}$

$\boxed{23} \times 4 = 92 \Rightarrow 92 \div 4 = \boxed{23}$

3 ● 안의 수가 몫이 되는 두 수에 모두 색칠하고 나눗셈식을 완성하세요.

$\boxed{75} \div \boxed{5} = 15$

$\boxed{91} \div \boxed{7} = 13$

2 빈칸에 알맞은 수를 쓰세요.

÷	2	3	4
36	18	12	9
48	24	16	12

÷	3	4	6
60	20	15	10
84	28	21	14

÷	2	4	8
72	36	18	9
88	44	22	11

÷	2	3	4
24	12	8	6
96	48	32	24

4 철호는 동화책 1권을 하루에 18쪽씩 4일 동안 읽었습니다. 물음에 답하세요.

동화책은 모두 몇 쪽일까요?

식 $\boxed{18} \times \boxed{4} = \boxed{72}$ 답 $\boxed{72}$ 쪽

이 동화책을 하루에 6쪽씩 읽으면 모두 읽는데 며칠이 걸릴까요?

식 $\boxed{72} \div \boxed{6} = \boxed{12}$ 답 $\boxed{12}$ 일

이 동화책을 3일 동안 매일 똑같은 쪽수를 읽는다면 하루에 몇 쪽씩 읽어야 할까요?

식 $\boxed{72} \div \boxed{3} = \boxed{24}$ 답 $\boxed{24}$ 쪽

54·55쪽

251 나머지가 있는 나눗셈 (1)

개념원리

몫과 나머지를 알아봅시다.

$13 \div 5 = 2 \cdots 3$

$$\begin{array}{r} 2 \\ 5{\overline{\smash{\big)}\,1\,3}} \\ \underline{1\ 0} \\ 3 \end{array}$$

$10 \div 5 = 2$

$$\begin{array}{r} 2 \\ 5{\overline{\smash{\big)}\,1\,0}} \\ \underline{1\ 0} \\ 0 \end{array}$$

13을 5로 나누면 몫은 2이고 3이 남습니다.
이때 3을 13÷5의 나머지라고 합니다.

10을 5로 나누면 몫은 2이고 나머지는 0입니다.
나머지가 0일 때 나누어떨어진다고 합니다.

$48 \div 6 = 8$

$$\begin{array}{r} 8 \\ 6{\overline{\smash{\big)}\,4\,8}} \\ \underline{4\ 8} \\ 0 \end{array}$$

$37 \div 8 = 4 \cdots 5$

$$\begin{array}{r} 4 \\ 8{\overline{\smash{\big)}\,3\,7}} \\ \underline{3\ 2} \\ 5 \end{array}$$

$63 \div 7 = 9$

$$\begin{array}{r} 9 \\ 7{\overline{\smash{\big)}\,6\,3}} \\ \underline{6\ 3} \\ 0 \end{array}$$

$79 \div 9 = 8 \cdots 7$

$$\begin{array}{r} 8 \\ 9{\overline{\smash{\big)}\,7\,9}} \\ \underline{7\ 2} \\ 7 \end{array}$$

$40 \div 5 = 8$

$$\begin{array}{r} 8 \\ 5{\overline{\smash{\big)}\,4\,0}} \\ \underline{4\ 0} \\ 0 \end{array}$$

$56 \div 7 = 8$

$$\begin{array}{r} 8 \\ 7{\overline{\smash{\big)}\,5\,6}} \\ \underline{5\ 6} \\ 0 \end{array}$$

$48 \div 6 = 8$

$$\begin{array}{r} 8 \\ 6{\overline{\smash{\big)}\,4\,8}} \\ \underline{4\ 8} \\ 0 \end{array}$$

$35 \div 9 = 3 \cdots 8$

$$\begin{array}{r} 3 \\ 9{\overline{\smash{\big)}\,3\,5}} \\ \underline{2\ 7} \\ 8 \end{array}$$

$26 \div 3 = 8 \cdots 2$

$$\begin{array}{r} 8 \\ 3{\overline{\smash{\big)}\,2\,6}} \\ \underline{2\ 4} \\ 2 \end{array}$$

$29 \div 4 = 7 \cdots 1$

$$\begin{array}{r} 7 \\ 4{\overline{\smash{\big)}\,2\,9}} \\ \underline{2\ 8} \\ 1 \end{array}$$

$45 \div 6 = 7 \cdots 3$

$$\begin{array}{r} 7 \\ 6{\overline{\smash{\big)}\,4\,5}} \\ \underline{4\ 2} \\ 3 \end{array}$$

$19 \div 2 = 9 \cdots 1$

$$\begin{array}{r} 9 \\ 2{\overline{\smash{\big)}\,1\,9}} \\ \underline{1\ 8} \\ 1 \end{array}$$

$43 \div 5 = 8 \cdots 3$

$$\begin{array}{r} 8 \\ 5{\overline{\smash{\big)}\,4\,3}} \\ \underline{4\ 0} \\ 3 \end{array}$$

56·57쪽

응용연산

1 몫과 나머지를 찾아 선으로 이으세요.

3 다음 나눗셈이 나누어떨어진다고 할 때 □안에 들어갈 수 있는 수에 모두 ○표 하세요.

$2{\overline{\smash{\big)}\,1\,\square}}$

⓪ 1 ② 3 ④
5 ⑥ 7 ⑧ 9

$3{\overline{\smash{\big)}\,3\,\square}}$

⓪ 1 2 ③ 4
5 ⑥ 7 8 ⑨

4 1부터 9까지의 수 중 36을 나누어떨어지게 하는 수를 모두 쓰세요.

1, 2, 3, 4, 6, 9

2 ●안의 수를 ○안의 수로 나누어 큰 원의 빈 곳에 몫, □안에 나머지를 쓰세요.

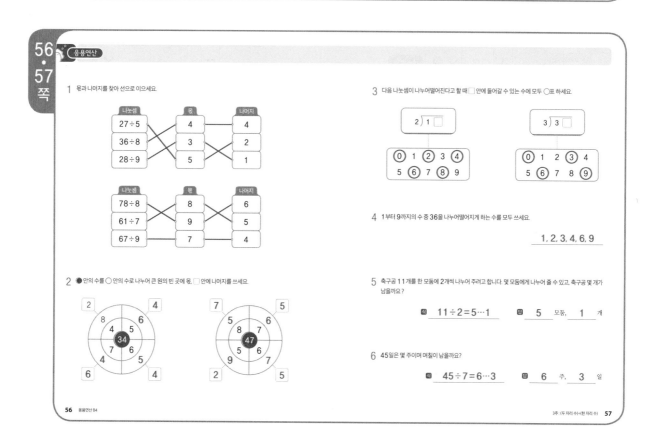

5 축구공 11개를 한 모둠에 2개씩 나누어 주려고 합니다. 몇 모둠에게 나누어 줄 수 있고, 축구공 몇 개가 남을까요?

식 $11 \div 2 = 5 \cdots 1$ 답 5 모둠, 1 개

6 45일은 몇 주이며 며칠이 남을까요?

식 $45 \div 7 = 6 \cdots 3$ 답 6 주, 3 일

4일
252 나머지가 있는 나눗셈 (2)

개념원리 나머지가 있는 나눗셈을 하는 방법을 알아봅시다.

$65 \div 3 = \boxed{21} \cdots \boxed{2}$ $77 \div 4 = \boxed{19} \cdots \boxed{1}$

$$3 \overline{)65} \quad \begin{array}{r} \boxed{2}\,\boxed{1} \\ \boxed{6} \leftarrow 3\times2 \\ \boxed{5} \leftarrow 65-60 \\ \boxed{3} \leftarrow 3\times1 \\ \boxed{2} \leftarrow 5-3 \end{array} \qquad 4\overline{)77} \quad \begin{array}{r} \boxed{1}\,\boxed{9} \\ \boxed{4} \leftarrow 4\times1 \\ \boxed{3}\,\boxed{7} \leftarrow 77-40 \\ \boxed{3}\,\boxed{6} \leftarrow 4\times9 \\ \boxed{1} \leftarrow 37-36 \end{array}$$

$67 \div 2 = \boxed{33} \cdots \boxed{1}$

$$2\overline{)67}\begin{array}{r}\boxed{3}\,\boxed{3}\\ \boxed{6}\\ \boxed{7}\\ \boxed{6}\\ \boxed{1}\end{array}$$

$58 \div 3 = \boxed{19} \cdots \boxed{1}$

$$3\overline{)58}\begin{array}{r}\boxed{1}\,\boxed{9}\\ \boxed{3}\\ \boxed{2}\,\boxed{8}\\ \boxed{2}\,\boxed{7}\\ \boxed{1}\end{array}$$

$63 \div 5 = \boxed{12} \cdots \boxed{3}$

$$5\overline{)63}\begin{array}{r}\boxed{1}\,\boxed{2}\\ \boxed{5}\\ \boxed{1}\,\boxed{3}\\ \boxed{1}\,\boxed{0}\\ \boxed{3}\end{array}$$

$68 \div 3 = \boxed{22} \cdots \boxed{2}$

$$3\overline{)68}\begin{array}{r}\boxed{2}\,\boxed{2}\\ 6\\ 8\\ 6\\ 2\end{array}$$

$87 \div 4 = \boxed{21} \cdots \boxed{3}$

$$4\overline{)87}\begin{array}{r}\boxed{2}\,\boxed{1}\\ 8\\ 7\\ 4\\ 3\end{array}$$

$95 \div 9 = \boxed{10} \cdots \boxed{5}$

$$9\overline{)95}\begin{array}{r}\boxed{1}\,\boxed{0}\\ 9\\ 5\end{array}$$

$59 \div 4 = \boxed{14} \cdots \boxed{3}$

$$4\overline{)59}\begin{array}{r}\boxed{1}\,\boxed{4}\\ 4\\ 1\,9\\ 1\,6\\ 3\end{array}$$

$82 \div 7 = \boxed{11} \cdots \boxed{5}$

$$7\overline{)82}\begin{array}{r}\boxed{1}\,\boxed{1}\\ 7\\ 1\,2\\ 7\\ 5\end{array}$$

$93 \div 6 = \boxed{15} \cdots \boxed{3}$

$$6\overline{)93}\begin{array}{r}\boxed{1}\,\boxed{5}\\ 6\\ 3\,3\\ 3\,0\\ 3\end{array}$$

$95 \div 8 = \boxed{11} \cdots \boxed{7}$

$$8\overline{)95}\begin{array}{r}\boxed{1}\,\boxed{1}\\ 8\\ 1\,5\\ 8\\ 7\end{array}$$

$73 \div 5 = \boxed{14} \cdots \boxed{3}$

$$5\overline{)73}\begin{array}{r}\boxed{1}\,\boxed{4}\\ 5\\ 2\,3\\ 2\,0\\ 3\end{array}$$

$97 \div 2 = \boxed{48} \cdots \boxed{1}$

$$2\overline{)97}\begin{array}{r}\boxed{4}\,\boxed{8}\\ 8\\ 1\,7\\ 1\,6\\ 1\end{array}$$

응용연산

1 몫과 나머지를 구하여 빈칸에 쓰세요.

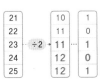

2 몫과 나머지의 합이 가장 큰 나눗셈식에 ○표 하세요.

56÷5	38÷3	87÷8	46÷3	75÷6
=11···1	=12···2	=10···7	=15···1	=12···3

78÷4	62÷3	89÷6	39÷2	99÷5
=19···2	=20···2	=14···5	=19···1	=19···4

(87÷8 과 99÷5 에 ○표)

3 상자 안의 수를 한 번씩 모두 사용하여 나눗셈식을 완성하세요.

$\boxed{5}\,\boxed{4} \div 8 = 6 \cdots 6$ ⑧ ⑤ ④

$\boxed{3}\,\boxed{6} \div 7 = 5 \cdots 1$ ③ ⑥ ⑦

$\boxed{5}\,\boxed{2} \div 7 = 7 \cdots 3$ ② ⑦ ⑤

$\boxed{5}\,\boxed{3} \div 9 = 5 \cdots 8$ ⑤ ⑨ ③

4 공책 59권이 있습니다. 공책을 한 명에게 5권씩 나누어 주려고 합니다. 공책은 몇 명에게 나누어 줄 수 있고, 남은 공책은 몇 권일까요?

식 $59 \div 5 = 11 \cdots 4$ 답 $\underline{11}$ 명, $\underline{4}$ 권

5 색종이가 한 묶음에 6장씩 14묶음이 있습니다. 미술 시간에 한 명이 색종이를 5장씩 사용한다면 몇 명이 사용하고 몇 장이 남을까요?

식 $6 \times 14 = 84$, $84 \div 5 = 16 \cdots 4$ 답 $\underline{16}$ 명, $\underline{4}$ 장

정답 및 해설 **15**

5일 형성평가

1 관계있는 것끼리 선으로 이으세요.

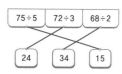

$75 \div 5$ $72 \div 3$ $68 \div 2$

24 34 15

4 ● 안의 수가 몫이 되는 두 수에 모두 색칠하고 나눗셈식을 완성하세요.

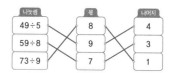

$\boxed{80} \div \boxed{5} = 16$ $\boxed{98} \div \boxed{7} = 14$

2 바나나 28개를 한 명에게 2개씩 나누어 준다면 몇 명에게 나누어 줄 수 있을까요?

식 $28 \div 2 = 14$ 답 14 명

5 몫과 나머지를 찾아 선으로 이으세요.

나눗셈	몫	나머지
$49 \div 5$	8	4
$59 \div 8$	9	3
$73 \div 9$	7	1

3 빈칸에 알맞은 수를 쓰세요.

÷	4	7	2
56	14	8	28
84	21	12	42

÷	3	9	6
54	18	6	9
90	30	10	15

6 1부터 9까지의 수 중 48을 나누어떨어지게 하는 수를 모두 쓰세요.

1, 2, 3, 4, 6, 8

7 몫과 나머지를 구하여 빈칸에 쓰세요.

39		13	0
40		13	1
41	÷3	13 … 2
42		14	0
43		14	1

8 상자 안의 수를 한 번씩 모두 사용하여 나눗셈식을 완성하세요.

$\boxed{3}\ \boxed{9} \div \boxed{5} = 7 \cdots 4$ $\boxed{4}\ \boxed{5} \div \boxed{7} = 6 \cdots 3$

⑤ ⑨ ③   ④ ⑤ ⑦

9 사탕이 68개 있습니다. 사탕을 한 명에게 5개씩 나누어 주려고 합니다. 사탕을 몇 명에게 나누어 줄 수 있고, 남은 사탕은 몇 개일까요?

식 $68 \div 5 = 13 \cdots 3$ 답 13 명, 3 개

나눗셈과 검산

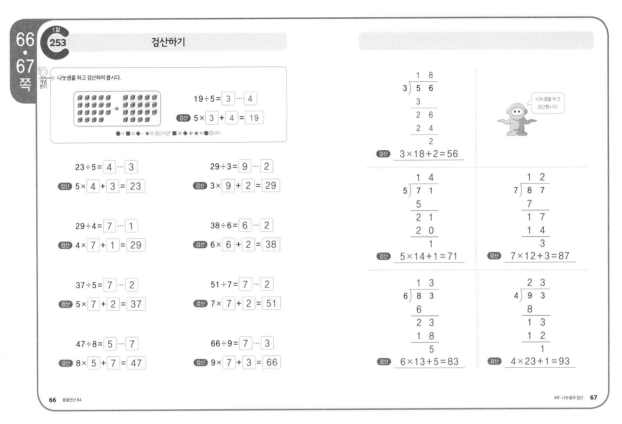

253 1일 검산하기

개념정리 나눗셈을 하고 검산하여 봅시다.

$19 \div 5 = 3 \cdots 4$

검산 $5 \times 3 + 4 = 19$

●÷■=◆···★의 검산식은 ■×◆+★=●입니다

$23 \div 5 = 4 \cdots 3$
검산 $5 \times 4 + 3 = 23$

$29 \div 3 = 9 \cdots 2$
검산 $3 \times 9 + 2 = 29$

$29 \div 4 = 7 \cdots 1$
검산 $4 \times 7 + 1 = 29$

$38 \div 6 = 6 \cdots 2$
검산 $6 \times 6 + 2 = 38$

$37 \div 5 = 7 \cdots 2$
검산 $5 \times 7 + 2 = 37$

$51 \div 7 = 7 \cdots 2$
검산 $7 \times 7 + 2 = 51$

$47 \div 8 = 5 \cdots 7$
검산 $8 \times 5 + 7 = 47$

$66 \div 9 = 7 \cdots 3$
검산 $9 \times 7 + 3 = 66$

나눗셈을 하고 검산합니다

검산 $3 \times 18 + 2 = 56$

검산 $5 \times 14 + 1 = 71$

검산 $7 \times 12 + 3 = 87$

검산 $6 \times 13 + 5 = 83$

검산 $4 \times 23 + 1 = 93$

응용연산

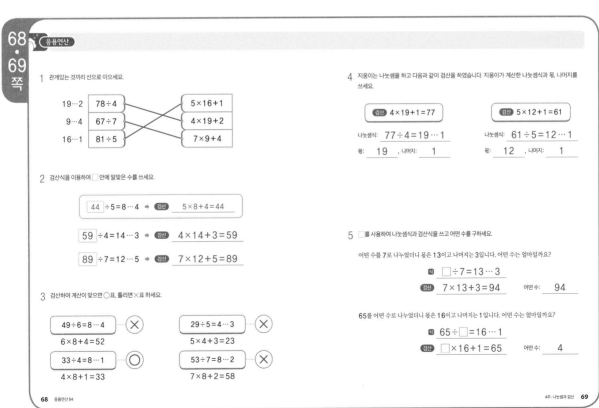

1 관계있는 것끼리 선으로 이으세요.

$19 \cdots 2$ — $78 \div 4$ — $5 \times 16 + 1$

$9 \cdots 4$ — $67 \div 7$ — $4 \times 19 + 2$

$16 \cdots 1$ — $81 \div 5$ — $7 \times 9 + 4$

2 검산식을 이용하여 □안에 알맞은 수를 쓰세요.

$\boxed{44} \div 5 = 8 \cdots 4$ ➡ 검산 $5 \times 8 + 4 = 44$

$\boxed{59} \div 4 = 14 \cdots 3$ ➡ 검산 $4 \times 14 + 3 = 59$

$\boxed{89} \div 7 = 12 \cdots 5$ ➡ 검산 $7 \times 12 + 5 = 89$

3 검산하여 계산이 맞으면 ○표, 틀리면 ×표 하세요.

$49 \div 6 = 8 \cdots 4$ ⊗
$6 \times 8 + 4 = 52$

$29 \div 5 = 4 \cdots 3$ ⊗
$5 \times 4 + 3 = 23$

$33 \div 4 = 8 \cdots 1$ ◯
$4 \times 8 + 1 = 33$

$53 \div 7 = 8 \cdots 2$ ⊗
$7 \times 8 + 2 = 58$

4 지웅이는 나눗셈을 하고 다음과 같이 검산을 하였습니다. 지웅이가 계산한 나눗셈식과 몫, 나머지를 쓰세요.

검산 $4 \times 19 + 1 = 77$

나눗셈식: $77 \div 4 = 19 \cdots 1$
몫: 19 , 나머지: 1

검산 $5 \times 12 + 1 = 61$

나눗셈식: $61 \div 5 = 12 \cdots 1$
몫: 12 , 나머지: 1

5 □를 사용하여 나눗셈식과 검산식을 쓰고 어떤 수를 구하세요.

어떤 수를 7로 나누었더니 몫은 13이고 나머지는 3입니다. 어떤 수는 얼마일까요?

식 $\square \div 7 = 13 \cdots 3$
검산 $7 \times 13 + 3 = 94$ 어떤수: 94

65를 어떤 수로 나누었더니 몫은 16이고 나머지는 1입니다. 어떤 수는 얼마일까요?

식 $65 \div \square = 16 \cdots 1$
검산 $\square \times 16 + 1 = 65$ 어떤수: 4

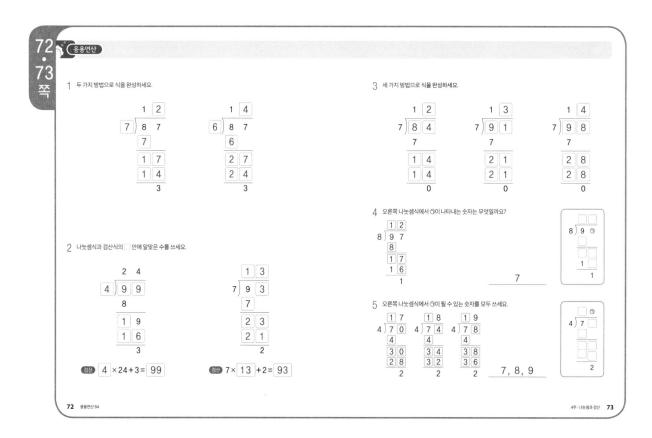

정답 및 해설

2일
254

벌레 먹은 나눗셈

안에 알맞은 수를 넣어 나눗셈식을 완성하여 봅시다.

9 × □의 일의 자리 숫자가 5가 되려면
□에는 5가 들어갑니다.

□ × 7의 일의 자리 숫자가 8이므로
나누는 수 □에는 4가 들어갑니다.

응용연산

1 두 가지 방법으로 식을 완성하세요.

3 세 가지 방법으로 식을 완성하세요.

2 나눗셈식과 검산식의 □ 안에 알맞은 수를 쓰세요.

검산 4 × 24 + 3 = 99

검산 7 × 13 + 2 = 93

4 오른쪽 나눗셈식에서 ㉠이 나타내는 숫자는 무엇일까요?

7

5 오른쪽 나눗셈식에서 ㉠이 될 수 있는 숫자를 모두 쓰세요.

7, 8, 9

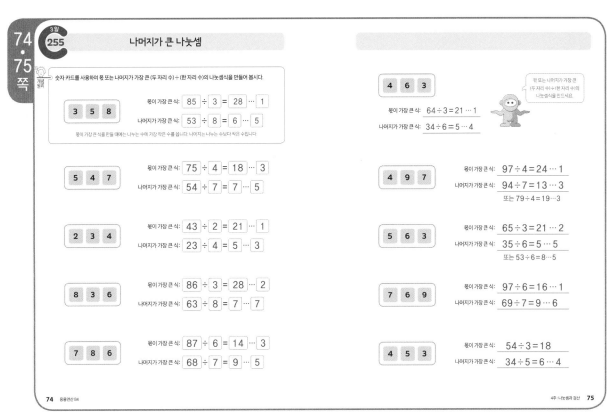

3일
255 나머지가 큰 나눗셈

숫자 카드를 사용하여 몫 또는 나머지가 가장 큰 (두 자리 수)÷(한 자리 수)의 나눗셈식을 만들어 봅시다.

3 5 8
몫이 가장 큰 식: $85 \div 3 = 28 \cdots 1$
나머지가 가장 큰 식: $53 \div 8 = 6 \cdots 5$

몫이 가장 큰 식을 만들 때에는 나누는 수에 가장 작은 수를 씁니다. 나머지는 나누는 수보다 작은 수입니다.

5 4 7
몫이 가장 큰 식: $75 \div 4 = 18 \cdots 3$
나머지가 가장 큰 식: $54 \div 7 = 7 \cdots 5$

2 3 4
몫이 가장 큰 식: $43 \div 2 = 21 \cdots 1$
나머지가 가장 큰 식: $23 \div 4 = 5 \cdots 3$

8 3 6
몫이 가장 큰 식: $86 \div 3 = 28 \cdots 2$
나머지가 가장 큰 식: $63 \div 8 = 7 \cdots 7$

7 8 6
몫이 가장 큰 식: $87 \div 6 = 14 \cdots 3$
나머지가 가장 큰 식: $68 \div 7 = 9 \cdots 5$

4 6 3
몫 또는 나머지가 가장 큰 (두 자리 수)÷(한 자리 수)의 나눗셈식을 만드세요.
몫이 가장 큰 식: $64 \div 3 = 21 \cdots 1$
나머지가 가장 큰 식: $34 \div 6 = 5 \cdots 4$

4 9 7
몫이 가장 큰 식: $97 \div 4 = 24 \cdots 1$
나머지가 가장 큰 식: $94 \div 7 = 13 \cdots 3$
또는 $79 \div 4 = 19 \cdots 3$

5 6 3
몫이 가장 큰 식: $65 \div 3 = 21 \cdots 2$
나머지가 가장 큰 식: $35 \div 6 = 5 \cdots 5$
또는 $53 \div 6 = 8 \cdots 5$

7 6 9
몫이 가장 큰 식: $97 \div 6 = 16 \cdots 1$
나머지가 가장 큰 식: $69 \div 7 = 9 \cdots 6$

4 5 3
몫이 가장 큰 식: $54 \div 3 = 18$
나머지가 가장 큰 식: $34 \div 5 = 6 \cdots 4$

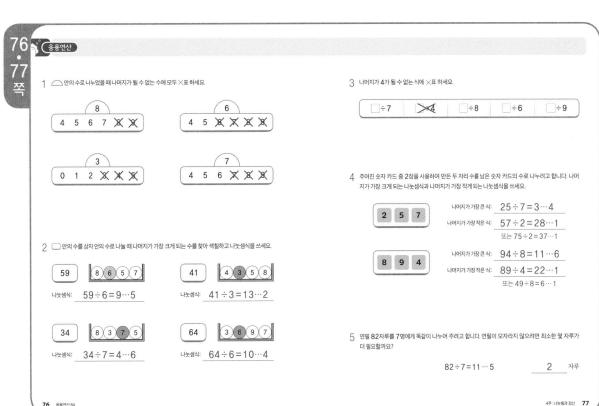

76·77쪽

응용연산

1 ◯안의 수로 나누었을 때 나머지가 될 수 없는 수에 모두 ×표 하세요.

8
(4 5 6 7 ✗ ✗)

6
(4 5 ✗ ✗ ✗ ✗)

3
(0 1 2 ✗ ✗ ✗)

7
(4 5 6 ✗ ✗ ✗)

3 나머지가 4가 될 수 없는 식에 ×표 하세요.

◻÷7   ◻÷4   ◻÷8   ◻÷6   ◻÷9

4 주어진 숫자 카드 중 2장을 사용하여 만든 두 자리 수를 남은 숫자 카드의 수로 나누려고 합니다. 나머지가 가장 크게 되는 나눗셈식과 나머지가 가장 작게 되는 나눗셈식을 쓰세요.

2 5 7
나머지가 가장 큰 식: $25 \div 7 = 3 \cdots 4$
나머지가 가장 작은 식: $57 \div 2 = 28 \cdots 1$
또는 $75 \div 2 = 37 \cdots 1$

8 9 4
나머지가 가장 큰 식: $94 \div 8 = 11 \cdots 6$
나머지가 가장 작은 식: $89 \div 4 = 22 \cdots 1$
또는 $49 \div 8 = 6 \cdots 1$

2 ◻안의 수를 상자 안의 수로 나눌 때 나머지가 가장 크게 되는 수를 찾아 색칠하고 나눗셈식을 쓰세요.

59 (8 **6** 5 7)
나눗셈식: $59 \div 6 = 9 \cdots 5$

41 (4 **3** 5 8)
나눗셈식: $41 \div 3 = 13 \cdots 2$

34 (8 **7** 5)
나눗셈식: $34 \div 7 = 4 \cdots 6$

64 (3 **6** 9 7)
나눗셈식: $64 \div 6 = 10 \cdots 4$

5 연필 82자루를 7명에게 똑같이 나누어 주려고 합니다. 연필이 모자라지 않으려면 최소한 몇 자루가 더 필요할까요?

$82 \div 7 = 11 \cdots 5$ 2 자루

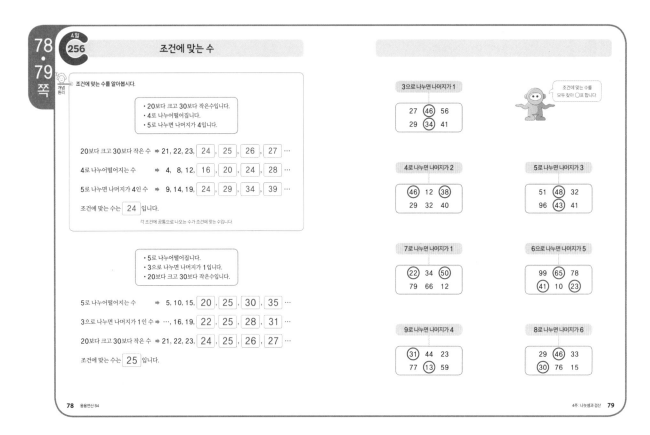

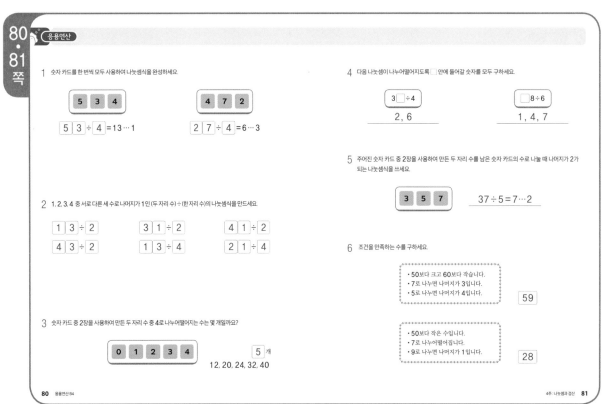

🐻 형성평가

1 관계있는 것끼리 선으로 이으세요.

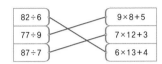

$82 \div 6$ — $9 \times 8 + 5$
$77 \div 9$ — $7 \times 12 + 3$
$87 \div 7$ — $6 \times 13 + 4$

2 ☐를 사용하여 나눗셈식과 검산식을 쓰고 어떤 수를 구하세요.

어떤 수를 5로 나누었더니 몫은 19이고 나머지는 2입니다. 어떤 수는 얼마일까요?

식 $\square \div 5 = 19 \cdots 2$

검산 $5 \times 19 + 2 = 97$ 어떤 수: **97**

3 두 가지 방법으로 식을 완성하세요.

```
    1 2
5 ) 6 1
    5
    1 1
    1 0
      1
```

```
    1 5
4 ) 6 1
    4
    2 1
    2 0
      1
```

4 오른쪽 나눗셈식에서 ㈀이 될 수 있는 숫자를 모두 쓰세요.

```
    1 3
6 ) 8 3
    6
    2 3
    1 8
      5
```

```
    1 4
6 ) 8 9
    6
    2 9
    2 4
      5
```

```
6 ) 8  ㈀
   ☐ ☐
   ☐ ☐
   ☐ ☐
      5
```

3, 9

5 ◠ 안의 수로 나누었을 때 나머지가 될 수 있는 수에 모두 ○표 하세요.

```
        5
③  5  ④  6  ②  8
```

```
        4
5  ②  ③  6  ①  4
```

6 주어진 숫자 카드 중 2장을 사용하여 만든 두 자리 수를 남은 숫자 카드의 수로 나누려고 합니다. 나머지가 가장 크게 되는 나눗셈식과 나머지가 가장 작게 되는 나눗셈식을 쓰세요.

5 7 9

또는 $79 \div 5 = 15 \cdots 4$
나머지가 가장 큰 식: $95 \div 7 = 13 \cdots 4$
나머지가 가장 작은 식: $97 \div 5 = 19 \cdots 2$

---

7 숫자 카드를 한 번씩 모두 사용하여 나눗셈식을 완성하세요.

9 7 8

$\boxed{7} \boxed{9} \div \boxed{8} = 9 \cdots 7$

3 6 5

$\boxed{3} \boxed{6} \div \boxed{5} = 7 \cdots 1$

8 다음 나눗셈이 나누어떨어지도록 ☐ 안에 들어갈 숫자를 모두 구하세요.

$4 \boxed{} \div 3$

2, 5, 8

$\boxed{} 2 \div 8$

3, 7

9 조건을 만족하는 수를 구하세요.

- 70보다 크고 90보다 작습니다.
- 8로 나누면 나머지가 6입니다.
- 5로 나누면 나머지가 3입니다.

78

"

Numbers rule the universe.

"

"수가 우주를 지배한다"

Pythagoras, 피타고라스